「창의적 문제해결력」
모의고사

1회

제한시간 : **90**분

초등학교　　　　학년　　　반　　　번

성 명 ●　　　　　　　　　지원 부문 ●

- ● 시험 시간은 총 90분입니다.
- ● 문제가 1번부터 14번까지 있는지 확인하시오.
- ● 문제지에 학교, 학년, 반, 번, 성명, 지원 부문을 정확히 기입하시오.
- ● 문항에 따라 배점이 다릅니다. 각 물음의 끝에 표시된 배점을 참고하시오.
- ● 필기구 외 계산기 등을 일체 사용할 수 없습니다.

창의적 문제해결력

01 2520을 서로 다른 한 자리 자연수 5개의 곱으로 나타내는 2가지 경우를 구하고, 풀이 과정을 서술하시오. (단, 2×3과 3×2처럼 순서만 다른 경우는 같은 것으로 생각한다.) [6점]

02 삼각형 세 각의 합은 180°이고, 사각형 네 각의 합은 360°이다. 다음 그림의 각 ㉠~ 각 ㉧의 크기의 합을 구하고, 풀이 과정을 서술하시오. [6점]

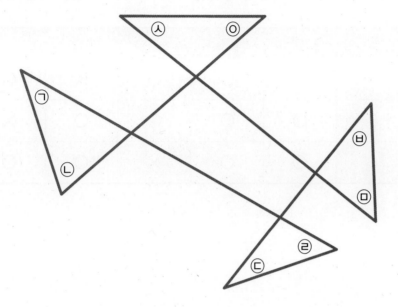

창의적 문제해결력

03 A, B, C 세 사람이 테스트를 했다. 테스트는 ○, × 중에서 하나를 고르는 방식이고 반드시 둘 중 하나가 정답이다. A, B, C가 각각 맞힌 정답 개수가 1개, 4개, 2개일 때, 이 결과를 바탕으로 각 문항의 정답을 구하고 풀이 과정을 서술하시오. [6점]

문제	1번	2번	3번	4번	5번	정답 개수
A	×	○	○	×	○	1개
B	○	○	○	○	×	4개
C	○	○	×	○	○	2개

04 다음 쪽매맞춤(테셀레이션)에 관한 설명을 읽고 아래 정다각형 중에서 2가지 이상을 활용하여 쪽매맞춤을 할 수 있는 경우를 5가지 그리고 각 경우에 한 점에 모이는 각을 덧셈식으로 나타내시오. (단, 같은 종류라도 사용된 개수가 다르면 다른 것으로 생각한다.) [6점]

우리는 생활 속에서 다양한 무늬나 디자인을 보게 되는데 이러한 무늬나 디자인은 주로 벽지, 화장실이나 부엌의 타일, 도로 바닥의 보도블록, 옷의 무늬, 방석의 무늬, 가구의 무늬, 건축물의 벽면 등과 같이 같은 모양을 반복해서 나타내는 것이다. 이처럼 겹치지 않고 빈틈없이 평면을 덮는 것을 수학에서는 쪽매맞춤(테셀레이션)이라고 한다. 테셀레이션 (tessellation)은 4를 뜻하는 그리스어 '테세레스(tesseres)'에서 유래했다. 원래는 정사각형을 빈틈없이 붙여 만드는 과정에서 시작된 용어지만, 다양한 모양을 반복적으로 배치하여 쪽매맞춤을 만들 수도 있다.

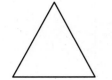

05 다음 [규칙]에 따라 빈칸에 화살표를 알맞게 그리시오. [7점]

> [규칙]
> ① 화살표는 8개의 방향(동, 서, 남, 북, 북동, 북서, 남동, 남서) 중 하나를 가리켜야 한다.
> ② 테두리 칸 안의 숫자는 그 칸을 가리키는 화살표의 총 개수를 의미한다.
> ③ 빈칸에는 화살표를 반드시 한 개만 그려야 한다.

〈예시〉

0	2	1	1	0	0
1	↑	↘	←	→	2
1	←	↑	→	↗	1
0	↙	↓	↑	→	1
1	↙	↙	↘	→	1
1	1	1	0	1	0

0	1	1	0	0	1
2					1
1					0
1					2
0					0
1	1	0	1	2	1

0	1	1	0	0	1
2					1
1					0
1					2
0					0
1	1	0	1	2	1

06 문방구에 지우개를 사러 간 유준이는 다음 두 가지 모양의 지우개 중 크기가 더 큰 지우개를 사려고 한다. 두 지우개의 크기를 비교할 수 있는 방법을 4가지 서술하시오.

[7점]

① _____

_____

_____

② _____

_____

_____

③ _____

_____

_____

④ _____

_____

_____

07 다음은 '바닷속에는 물고기가 몇 마리나 있을까'라는 기사의 내용이다. 물음에 답하시오.

[기 사]

'네이처'는 주판 모양의 틀 안에 주판알로 물고기를 그린 그림 가운데에 주판알로 물음표를 나타냈다. 이 그림은 전 세계 바닷속에 물고기가 과연 몇 마리나 사는지를 묻는 것이다. 보통 물고기의 양은 어획량을 바탕으로 추정하는데, 수산과학자들 사이에서 어획량이 실제 수산자원의 양을 정확하게 반영하는가에 대한 논란이 벌어지고 있다. 캐나다 교수는 어획량이 확실하진 않더라도 수산자원의 상태를 파악할 수 있는 유일한 자료라고 주장했다. 해상활동을 하는 나라의 80 %가 어획량을 파악하고 있기 때문이다.

(1) 어획량으로 실제 수산자원의 양을 정확하게 판단하기 힘들다. 어획량과 실제 수산 자원의 양에 차이가 생기는 이유를 3가지 서술하시오. [4점]

① _____

_____

_____

② _____

_____

_____

③ _____

_____

_____

_____

(2) 어획량 자료가 어획량 조절에 중요하긴 하지만 수산과학의 최대 궁금증인 '바다에 얼마나 많은 물고기가 사는가'하는 질문에 답할 정도는 아니다. 바다에 사는 물고기의 수를 추산할 수 있는 방법을 2가지 서술하시오. [8점]

1

2

창의적 문제해결력

08 추운 겨울이 되면 패딩이 인기가 많다. 패딩은 겉감과 안감 사이에 충전재를 넣어 푹신하게 만든 옷이다. 충전재로 거위 털이나 오리털을 주로 사용한다.

패딩을 입으면 따뜻한 이유와 우리 생활에서 이 원리를 이용한 경우를 2가지 서술하시오.

[6점]

> **패딩을 입으면 따뜻한 이유**

> **우리 생활에서 이 원리를 이용한 경우**

1

2

09 다음과 같은 전기 회로 (가)에 전지 하나를 더 사용하여 (나)와 (다)를 만들었다.

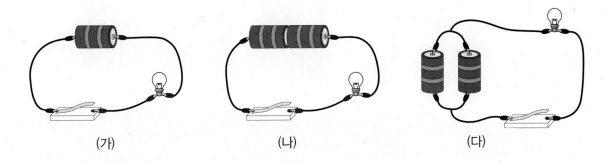

(가)	(나)	(다)

(나)와 (다)의 전구의 밝기를 (가)와 비교하고. 그렇게 생각하는 이유를 서술하시오. [6점]

전구의 밝기 비교

이유

창의적 문제해결력

10 정원이는 여러 개의 렌즈 중에서 어떤 렌즈가 볼록 렌즈인지 확인하려고 한다.

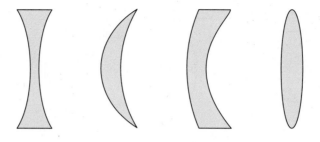

볼록 렌즈인지 확인할 수 있는 방법을 4가지 서술하시오. [6점]

1 _____

_____

2 _____

_____

3 _____

_____

4 _____

_____

_____

11 인숙이는 탄산음료가 치아 건강에 어떤 영향을 주는지 알아보기 위해 여러 가지 지시약으로 탄산음료의 성질을 조사하였다. 다음 표는 인숙이가 조사한 지시약에 의한 탄산음료의 색깔 변화를 나타낸 것이다.

구분	리트머스 종이	페놀프탈레인 용액	자주색 양배추 지시약
탄산음료의 색깔 변화	푸른색 → 붉은색	변화 없음	붉은색

이 실험 결과를 바탕으로 탄산음료가 치아 건강에 미치는 영향과 탄산음료로부터 치아 건강을 지킬 수 있는 방법을 서술하시오. [6점]

탄산음료가 치아 건강에 미치는 영향

_____

_____

_____

탄산음료로부터 치아 건강을 지킬 수 있는 방법

_____

_____

_____

_____

_____

_____

창의적 문제해결력

12 다음은 달과 지구의 모습으로, 달은 지구와 다른 점이 많다. 만약 달에 우주 기지를 세운다면 무엇이 필요할까? 달에서 사람이 살기 위해 반드시 필요한 장치를 이유와 함께 3가지 서술하시오. [7점]

(달)　　　　　　　(지구)

①

②

③

13 지구는 자전축을 중심으로 24시간에 한 바퀴씩 자전하면서 태양을 중심으로 365일에 한 바퀴씩 공전한다. 만약 지구의 자전 주기가 48시간으로 두 배 길어질 때 나타나는 변화를 3가지 서술하시오. [7점]

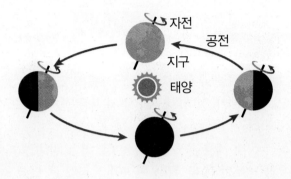

1

_____

_____

2

_____

_____

3

_____

_____

_____

_____

창의적 문제해결력

14 인도네시아 칼리만탄섬의 아이들은 각종 쓰레기가 떠다니는 더러운 강물에서 온종일 논다. 하지만 아토피 피부염이나 천식 등의 질환을 앓는 경우는 거의 없다. 물음에 답하시오.

> **[기사]**
>
> 우리 역시 몇십 년 전만 해도 비위생적인 환경에서 살았다. 각종 미생물과 세균은 우리 몸속에서 공존했다. 하지만 오늘날 항생제나 살균제를 과도하게 사용하면서 장내 세균이 급속도로 줄어들었다. 우리 면역계가 장내 세균과 맞서 싸우면서 스스로 면역체계를 강화하는 기회를 잃어버리고 만 것이다.
> 면역력을 키우려면 장내 세균부터 살려야 한다. 이를 위해선 지나친 살균제 및 항생제 사용을 줄이고 식이섬유가 풍부한 음식, 특히 된장이나 김치 등 발효 식품을 먹는 것이 좋다. 식품첨가물이 다량 함유된 인스턴트식품은 되도록 먹지 않는 것이 좋다.

(1) 인도네시아 칼리만탄섬의 아이들이 아토피 피부염이나 천식 등의 질환을 앓는 경우가 거의 없는 이유를 위 기사를 바탕으로 서술하시오. [4점]

(2) 우리 장 속에는 4,000종이 넘는 세균이 100조 마리 정도 살고 있다고 한다. 최근 우리나라 사람들의 장내 세균은 점점 줄어들고 있다. 장내 세균을 증가시키기 위한 방법을 5가지 서술하시오. [8점]

①

②

③

④

⑤

「창의적 문제해결력」 모의고사

1회

「창의적 문제해결력」
모의고사

2회

제한시간 : 90분

초등학교　　　　학년　　　반　　　번

성 명　　　　　　　　　지원 부문

- 시험 시간은 총 90분입니다.
- 문제가 1번부터 14번까지 있는지 확인하시오.
- 문제지에 학교, 학년, 반, 번, 성명, 지원 부문을 정확히 기입하시오.
- 문항에 따라 배점이 다릅니다. 각 물음의 끝에 표시된 배점을 참고하시오.
- 필기구 외 계산기 등을 일체 사용할 수 없습니다.

창의적 문제해결력

01 운동경기에서 경기를 진행하는 방식은 리그전과 토너먼트가 있다. 리그전은 모든 팀이 서로 경기를 하는 방식이고, 토너먼트는 서로 두 팀씩 경기하여 이긴 팀이 상위 단계로 올라가는 방식이다.

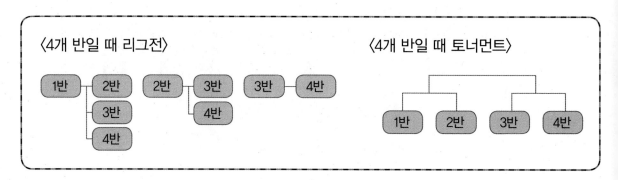

6학년 8개 반이 리그전과 토너먼트로 티볼 경기를 한다면 몇 번의 경기를 진행해야 하는지 각각 구하고, 풀이 과정을 서술하시오. (단, 토너먼트의 경우 순위를 정하기 위해 진 팀끼리도 경기해서 모든 팀의 순위가 나와야 한다.) [6점]

02 $\frac{19}{91}$와 같이 분자와 분모가 두 자리 수이면서 분자의 두 자리 숫자를 서로 바꾼 수가 분모가 되는 분수 중에서 약분한 값이 $\frac{4}{7}$가 되는 분수를 모두 찾고, 풀이 과정을 서술하시오. [6점]

03 다음 겨냥도에 그려진 선을 전개도에 표시하려고 한다. 전개도의 각 꼭짓점에 알맞은 기호를 쓰고 선을 표시하시오. [6점]

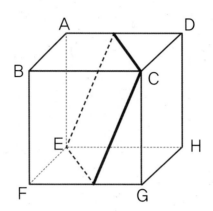

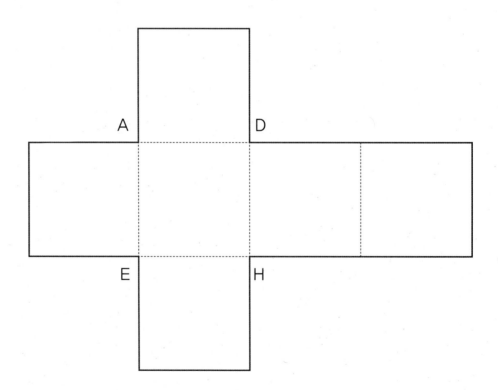

04 위, 앞, 오른쪽에서 본 모양이 다음 그림과 같이 나오도록 쌓기나무를 쌓으려고 한다.
필요한 쌓기나무의 최소 개수와 최대 개수를 구하시오. [7점]

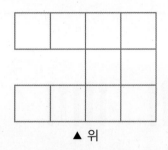

▲ 위

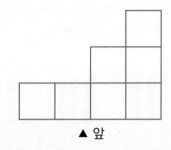

▲ 앞

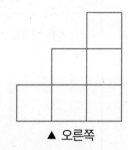

▲ 오른쪽

창의적 문제해결력

05 다음과 같은 조건이 주어졌을 때, 10개의 성냥개비를 이용하여 [그림 1]을 만들었다. [그림 1]의 상태에서 2개의 성냥개비를 이동하여 계산 결과가 5나 8인 식을 5가지 만드시오. [7점]

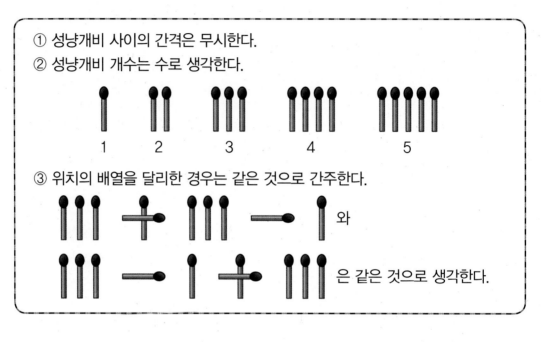

[그림 1]

06 다음은 1981년부터 서울 초등학생 수 변화와 교사 1인당 학생 수를 표와 그래프로 나타 낸 것이다. 자료를 쉽게 정리하고 효과적으로 표현하기 위해 표와 그래프를 사용한다. 우리 주변에서 표나 그래프가 사용되는 곳을 찾아 5가지 서술하시오. [7점]

서울 초등학생 수 변화(단위 : 명)

연도	초등학생 수	교사 수	교사 1인당 학생 수
1981	118만 1,324	1만 9,242	61.4
1982	118만 3,735	2만 477	57.8
1991	110만 7,606	2만 5,784	43.0
2001	76만 2,967	2만 5,547	29.9
2006	68만 9,169	2만 7,219	25.3
2011	53만 5,948	2만 9,639	18.1

① _____

② _____

③ _____

④ _____

⑤ _____

창의적 문제해결력

07 다음은 압력을 가하면 전기가 발생하는 압전소자에 대한 설명이다. 물음에 답하시오.

> **[기 사]**
>
> 자동차가 달릴 때 바퀴가 닿는 도로 위에는 압력이 전달된다. 사람들이 보도 위를 걸을 때도 마찬가지다. 이런 압력을 전기로 바꾼다면 도로 자체가 친환경 발전소가 될 수 있다.
> 과학기술자들은 이를 위해 압력을 전기로 바꾸는 '압전소자'를 연구해왔다. 그러나 그동안 개발된 압전소자들은 효율성이 떨어지는 데다 제조 가격도 비싸 실용화되지 못했다. 최근 나노 기술을 이용해 기존보다 최대 20배 이상 효율이 뛰어난 압전소자를 대량으로 생산할 수 있는 방법을 개발했다.
> 이렇게 만든 가로세로 3 cm 크기의 압전소자를 한 번 구부리자 350 nA(나노암페어) 정도의 전기를 얻을 수 있었다. 꼬마전구 하나 켤 수 없는 전기량이지만 압전소자가 커질수록 얻을 수 있는 전기량도 비례해서 늘어난다.

(1) 이 압전소자로 폭 2 m 정도 도로 1 km를 압전소자로 포장하면 자동차 한 대가 지나갈 때 0.74 W 정도의 전기를 얻을 수 있다. 하루에 6,000 W 정도의 전기를 사용하는 일반 가정집에서 한 달(30일) 동안 전기를 사용할 전기를 얻으려면 한 달에 자동차가 최소 몇 대 지나가야 하는지 풀이 과정과 함께 구하시오. [4점]

(2) 도로에 이 같은 압전소자를 설치하고, 충전 방전 시스템을 결합하면 새로운 형태의 친환경 전기공급 체계를 만들 수 있다. 이 압전소자를 설치하면 전기를 많이 생산할 수 있는 장소를 5가지 쓰시오. [8점]

1 _____

_____

2 _____

_____

3 _____

_____

4 _____

_____

5 _____

_____

_____

08 잎의 수와 식물의 뿌리가 흡수하는 물의 양의 관계를 알아보기 위해 다음과 같이 장치한 후 햇빛이 잘 비치는 창가에 두었다.

이 실험에서 같게 해 주어야 할 조건을 5가지 쓰시오. [6점]

1 _____

_____

2 _____

_____

3 _____

_____

4 _____

_____

5 _____

_____

_____

09 다음은 하루 동안 바닷가의 지면과 수면의 온도 변화를 나타낸 것이다. 이 지역에서 낮과 밤에 부는 바람의 방향을 찾고, 이유를 기압의 변화를 바탕으로 서술하시오. [6점]

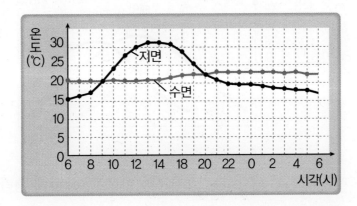

낮

밤

창의적 문제해결력

10 다음 그래프는 하루 동안 태양 고도와 기온의 변화를 나타낸 것이다.

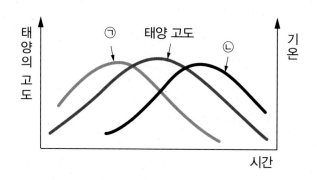

㉠과 ㉡ 중 기온 변화에 해당하는 그래프를 고르고, 그렇게 생각한 이유를 서술하시오.

[6점]

기온 변화 그래프

이유

11 다음은 어떤 숲의 생태 피라미드이다.

어떤 원인에 의해 이 숲에 사는 메뚜기의 수가 매우 많이 증가했을 때 시간이 흐르면서 나타날 수 있는 생태계의 변화를 서술하시오. [6점]

_____

_____

_____

_____

_____

_____

_____

_____

창의적 문제해결력

12 다음과 같이 식물은 크게 잎, 꽃, 열매, 줄기, 뿌리의 5가지 부분으로 나눌 수 있다.

식물의 각 부분 중 1가지가 사라진다면 어떤 현상이 나타날지 5가지 부분 중 2 부분을 골라 서술하시오. [7점]

1

2

모의고사 2회

13 혜진이는 마을에 개구리가 너무 많아진 것을 알고 그 원인을 알아내기 위해 먹이 관계를 조사하였다.

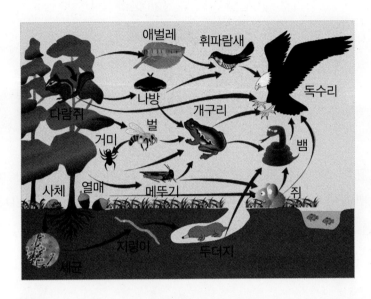

혜진이네 마을 사람들은 개구리 문제를 해결하기 위해 개구리의 천적인 뱀을 풀어 놓는 것에 대한 찬반 회의를 하기로 했다. 혜진이는 뱀을 풀어놓는 것에 대해 반대한다. 위 먹이 관계를 바탕으로 혜진이의 주장을 뒷받침할 수 있는 근거를 서술하시오. [7점]

1 _____

_____

2 _____

_____

3 _____

_____

14 다음은 소규모 산림 토양의 산성화에 대한 내용이다. 물음에 답하시오.

[기 사]

지역의 산림 토양 산성화 실태를 조사해 보니, 6개 소규모 산림의 수소 이온 농도(pH)가 평균 4.75로 나타났다. 도심에 가까울수록 소규모 산림 토양의 산성화 정도가 더 심한 것으로 조사됐다.

(1) 다음 표는 두 개의 페트리 접시에 무씨 50개를 놓고 각각 매일 묽은 황산 용액과 물을 뿌리면서 일정한 시각에 싹이 튼 무씨의 개수를 나타낸 것이다. 토양이 산성화되면 그 지역에 살고 있는 식물에 어떤 영향을 미칠지 실험 결과와 관련지어 서술하시오. [4점]

구분	싹이 튼 무씨의 개수(개)					
	1일	2일	3일	4일	5일	싹이 튼 무씨의 총 개수
묽은 황산 용액을 뿌린 무씨	0	0	3	3	3	3
물을 뿌린 무씨	0	20	35	45	50	50

(2) 소규모 산림 토양의 산성화는 점점 심각해지고 있고, 토양의 산성화는 산림의 식물에 큰 영향을 미친다. 이러한 영향을 줄이기 위한 방법을 3가지 서술하시오. (그림을 그려서 설명해도 좋다.) [8점]

1

2

3

「창의적 문제해결력」 모의고사

2회

「창의적 문제해결력」
모의고사

3회

제한시간 : **90**분

초등학교   학년   반   번

성 명   지원 부문

- 시험 시간은 총 90분입니다.
- 문제가 1번부터 14번까지 있는지 확인하시오.
- 문제지에 학교, 학년, 반, 번, 성명, 지원 부문을 정확히 기입하시오.
- 문항에 따라 배점이 다릅니다. 각 물음의 끝에 표시된 배점을 참고하시오.
- 필기구 외 계산기 등을 일체 사용할 수 없습니다.

창의적 문제해결력

01 다음은 한 변의 길이가 8 cm인 직각이등변삼각형의 가운데를 계속 접는 과정을 설명한 것이다. 물음에 답하시오. [6점]

처음	1단계	2단계

(1) 4단계를 진행했을 때 가장 작은 삼각형은 총 몇 개가 되는지 구하고 풀이 과정을 서술하시오.

(2) 4단계를 진행했을 때 가장 작은 삼각형 한 개의 넓이는 몇 cm²인지 구하고 풀이 과정을 서술하시오.

02 다음 내용을 참고로 $\dfrac{7}{12}$ 을 서로 다른 단위분수의 합으로 나타낼 수 있는 방법을 4가지 서술하시오. [6점]

단위분수는 $\dfrac{1}{3}$, $\dfrac{1}{5}$, $\dfrac{1}{7}$ …과 같이 분자가 1인 분수를 말한다. 고대 이집트 사람들은 이 단위분수만을 사용하여 모든 분수를 나타냈다고 한다. 중세 유럽의 수학자 피보나치는 1202년에 모든 분수가 무한히 다양한 방식의 서로 다른 단위분수의 합으로 표기할 수 있음을 밝혀냈다. 예를 들면 $\dfrac{1}{2} = \dfrac{1}{3} + \dfrac{1}{6} = \dfrac{1}{4} + \dfrac{1}{6} + \dfrac{1}{12} = \dfrac{1}{5} + \dfrac{1}{6} + \dfrac{1}{12} + \dfrac{1}{20}$ …과 같이 어떤 분수를 두 단위분수의 합으로 나타내면 그때 사용된 단위분수도 다른 단위분수의 합으로 나타낼 수 있다는 것이다. 또 피보나치는 단위분수를 '욕심쟁이 방법(greedy procedure)'으로 만드는 것을 좋아했는데 그 내용은 다음과 같다.

예 $\dfrac{3}{4}$ 을 욕심쟁이 방법을 사용하여 단위분수의 합으로 나타내려면, $\dfrac{3}{4}$ 을 넘지 않는 단위분수 중에서 가장 큰 단위분수인 $\dfrac{1}{2}$ 을 쓰고 남은 수를 표시하면 된다. 즉, $\dfrac{3}{4} = \dfrac{1}{2} + \dfrac{1}{4}$ 이 된다.

창의적 문제해결력

03 수민이네 마을에 도서관을 지으려고 한다. 다음 조건에 맞도록 도서관의 위치를 정하시오. [6점]

> [조건]
> ① 지도에 동그라미는 건물을 의미하고, 연결된 선은 건물과 건물 사이의 길을 의미한다. 이동 시간은 선의 길이에 상관없이 모두 같다.
> ② 각각의 건물에서 도서관에 갈 때 한 개의 길(선)만 이용할 수 있다.
> ③ 모든 건물에서 도서관에 갈 수 있어야 하며, 도서관의 수는 최소로 지어야 한다.

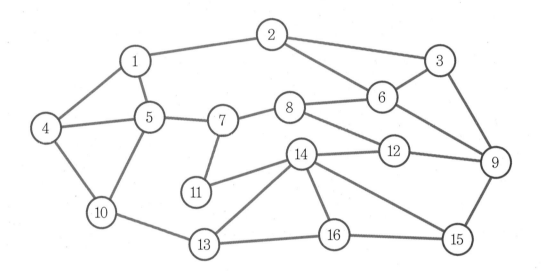

04 민규는 2월의 어느 날 혼자 양로원을 방문했다. 양로원에 계신 할머니는 민규에게 다음과 같은 이야기를 했다.

> ① 민규가 방문한 날과 같은 날 이미 세 그룹의 학생들이 방문하였고 방문한 그룹의 학생 수는 모두 달랐다.
> ② 각 그룹의 학생 수의 곱은 민규가 방문한 날짜와 같다.
> ③ 민규가 방문한 날짜를 서로 다른 세 자연수의 곱으로 나타내는 방법은 4가지이다.

민규가 양로원을 방문한 날짜와 양로원을 방문한 각 그룹의 학생 수를 구하시오.
(단, 그룹은 2명 이상의 학생으로 구성되어 있다.) [6점]

양로원을 방문한 날짜

양로원을 방문한 각 그룹의 학생 수

창의적 문제해결력

05 다음은 이탈리아의 피사의 사탑이다. 이 탑은 불안정한 점토 지대에 건설되어 탑이 점점 기울어진다고 하여 사탑(斜塔)이라고 불린다. 이 탑의 높이를 알아낼 수 있는 방법을 3가지 서술하시오. [7점]

1

2

3

---

06 동전을 1개 넣으면 사탕이 1개가 나오고, 동전을 2개 넣으면 사탕이 3개가, 동전을 3개를 넣으면 사탕이 7개가 나오는 기계가 있다. 물음에 답하시오. [7점]

(1) 다음은 넣은 동전의 수와 나온 사탕의 수를 표로 정리한 것이다. 빈칸에 알맞은 수를 넣고 어떤 규칙인지 서술하시오.

넣은 동전의 수	1	2	3	4	5	6
나온 사탕의 수	1	3	7			

(2) 또 다른 규칙을 찾아 표를 완성하고, 규칙을 서술하시오.

넣은 동전의 수	1	2	3	4	5	6
나온 사탕의 수	1	3	7			

넣은 동전의 수	1	2	3	4	5	6
나온 사탕의 수	1	3	7			

창의적 문제해결력

07 휴대전화 잠금 패턴은 9개의 점 중 일부를 연결하여 만든다. 다음 그림을 보고 물음에 답하시오.

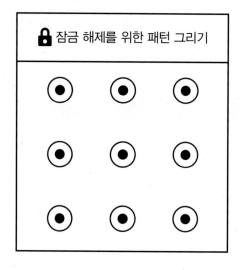

(1) 잠금 패턴을 만들기 위해서는 적어도 두 개의 점을 연결해야 한다. 두 점을 연결하는 선분을 잠금 패턴으로 사용할 수 있는 경우는 모두 몇 가지인지 구하고 풀이 과정을 서술하시오. (단, 연결 방향은 생각하지 않는다.) [4점]

(2) 점 4개를 연결하여 잠금 패턴을 만들려고 한다. 선분이 3개, 직각이 2개 있는 잠금 패턴은 모두 몇 가지인지 구하고 풀이 과정을 서술하시오. (단, 연결 방향은 생각하지 않는다.) [8점]

🔒 잠금 해제를 위한 패턴 그리기

창의적 문제해결력

08 다음은 작은창자 안쪽 벽에 있는 융털의 모습이다. 작은창자 안쪽 벽에는 다음 그림과 같은 모습의 융털이라는 돌기가 털처럼 돋아 있으며, 이 융털을 모두 펼치면 테니스 코트만 한 넓이가 된다고 한다.

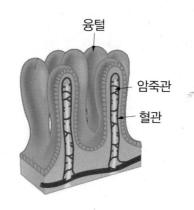

융털
암죽관
혈관

작은창자 안쪽 벽이 위와 같은 구조로 되어 있어 좋은 점을 쓰고, 이와 같은 원리가 이용된 예를 5가지 서술하시오. [6점]

좋은 점

_____

_____

_____

_____

원리가 이용된 예

① _____

② _____

③ _____

④ _____

⑤ _____

_____

09 100 g의 물이 담긴 비커에 소금 25 g을 넣고 잘 저은 다음 거름종이에 걸러 보았더니, 거름종이 위에 아무것도 남지 않았다. 거름종이로 거른 소금물은 눈으로 보았을 때 소금을 녹이기 전의 물과 차이가 없었다.

거름종이로 거른 소금물 속에 소금이 녹아 있다는 것을 확인할 수 있는 방법과 이유를 2가지 서술하시오. (단, 맛을 보는 방법은 제외한다.) [6점]

1

2

창의적 문제해결력

10 물이 묻어 있지 않은 깨끗한 유리컵에 얼음을 넣고 공기 중에 놓아두면, 얼마 후 유리컵 표면에 물방울이 맺힌다.

유리컵 표면에 물방울이 맺히는 이유를 쓰고, 이러한 현상을 볼 수 있는 생활 속의 예를 3가지 쓰시오. [6점]

이유

생활 속의 예

1

2

3

11 산업이 발달함에 따라 지구 온난화가 심해지면서 북극의 얼음이 녹고 있다.

지구 온난화에 가장 큰 원인이 되는 기체와 이 기체의 양을 줄일 수 있는 방법을 4가지 서술하시오. [6점]

원인이 되는 기체

줄일 수 있는 방법

1

2

3

4

창의적 문제해결력

12 우리 눈은 빛을 감지하여 물체를 본다. 만약 빛이 없는 어두운 세상이 된다면 할 일이 없어진 눈은 퇴화할 것이다. 어두운 환경에서 적응하기 위해 다음 기관들은 각각 어떻게 변할지 이유와 함께 서술하시오. [7점]

코
_____

_____

귀
_____

_____

피부
_____

_____

팔
_____

_____

다리
_____

_____

_____

13 산소는 공기 중 21 %를 차지하고 있고, 호흡과 연소 등 우리 생활에 이용되고 있다.

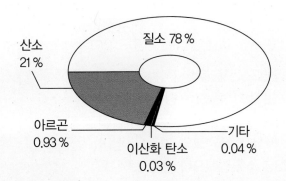

만약 산소가 지금보다 2배 정도 많아진다면 지금의 모습과 달라지는 점을 5가지 서술하시오. [7점]

① _____

② _____

③ _____

④ _____

⑤ _____

창의적 문제해결력

14 다음은 봄철에 자주 발생하는 산불에 관한 내용이다. 물음에 답하시오.

[기 사]

2019년 4월 4일 강원도 인제에서 시작된 불은 바람을 타고 급속히 번져 고성, 속초, 강릉, 동해 지역까지 번졌다. 불과 1시간 만에 5 km까지 번질 정도로 급속도로 퍼졌다. 물탱크와 펌프차, 장비 23대, 소방대원 78명을 투입했으나 강풍 탓에 초기 화재 진압에 실패했다. 산불이 나기 좋은 건조한 날씨에 불씨가 강풍을 타고 넘어가면서 크게 확산하여 진압에 어려움을 주었다. 봄에는 건조

하고 낙엽이 많이 쌓여 있어 산불이 발생하기 쉽다. 또한 산행하기 좋은 맑고 포근한 날씨로 등산객이 많아지면서 담배꽁초와 같은 작은 불씨나 무심코 버린 물이 담긴 생수병도 산불의 원인이 될 수 있으므로 주의해야 한다.

(1) 무심코 버린 생수병이 산불의 원인이 되는 이유를 서술하시오. [4점]

(2) 건조하고 바람이 많이 부는 봄철 산불은 대형 산불로 발생하기 쉽다. 산불이 발생했을 때 피해를 줄일 수 있는 방안을 3가지 서술하시오. [8점]

① _____

② _____

③ _____

③회

「창의적 문제해결력」
모의고사

4회

제한시간 : 90분

초등학교   학년   반   번

성 명   지원 부문

- 시험 시간은 총 90분입니다.
- 문제가 1번부터 14번까지 있는지 확인하시오.
- 문제지에 학교, 학년, 반, 번, 성명, 지원 부문을 정확히 기입하시오.
- 문항에 따라 배점이 다릅니다. 각 물음의 끝에 표시된 배점을 참고하시오.
- 필기구 외 계산기 등을 일체 사용할 수 없습니다.

창의적 문제해결력

01 다음은 아래 도형에 크기가 다른 삼각형이 몇 개 있는지 찾기 위해 수연이가 사용한 방법이다.

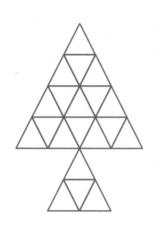

유형	1	2	3	4
종류	△			
개수	20	7+1=8	3	1
합계	32개			

같은 방법으로 위 도형에 크기가 다른 평행사변형이 몇 개 있는지 다음 표에 나타내시오.

[6점]

유형	1	2	3	4
종류				
개수				
합계				

02 다음 그림과 같이 가로 12 cm, 세로 4 cm인 직사각형 모양의 종이 두 장을 겹쳐 놓았다. 오른쪽 도형에서 굵은 선으로 표시된 둘레의 길이가 44 cm일 때, 도형의 넓이를 구하고 풀이 과정을 서술하시오. [6점]

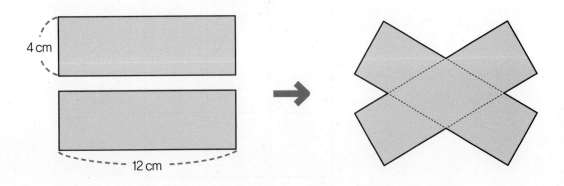

창의적 문제해결력

03 가로, 세로, 대각선에 있는 어떤 세 수를 더해도 그 합이 같아지도록 하려고 한다. 빈 칸에 알맞은 분수 또는 소수를 구하고, 풀이 과정을 서술하시오. [6점]

	$1\frac{1}{8}$	0.5
		$\frac{3}{8}$
		1

04 (가)와 같이 8개의 빈칸에 흰 바둑돌과 검은 바둑돌이 각각 3개씩 놓여 있다. 서로 이웃한 바둑돌 2개를 다음 조건에 따라 동시에 이동시켜 (나)로 바꿀 때 최소 이동 횟수를 구하고, 이동 과정을 그림으로 나타내시오. [6점]

① 2개의 바둑돌을 이동할 때 바둑돌의 순서가 바뀌어서는 안 된다.
② 2개의 바둑돌은 동시에 빈칸으로 이동하며 그것을 1회로 생각한다.

(예시 1)

(예시 2)

(가)

(나)

(가)

→

→

→

→

→

→

→

창의적 문제해결력

05 다음은 평행사변형의 넓이 구하는 방법을 이용하여 아랫변 7 cm, 윗변 5 cm, 높이 4 cm 인 사다리꼴의 넓이를 구하는 방법을 설명한 것이다.

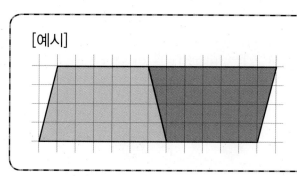

[예시]

사다리꼴을 하나 더 돌려 붙여서 평행사변형을 만든다.
평행사변형 : 12(밑변)×4(높이)=48
사다리꼴이 두 개이므로 48÷2=24
따라서 사다리꼴의 면적은 24 cm²이다.

아랫변 7 cm, 윗변 5 cm, 높이 4 cm인 사다리꼴의 넓이를 구하는 방법을 3가지 서술하시오. (모눈종이는 가로, 세로 1 cm인 정사각형이다. 예시의 방법은 제외한다.) [7점]

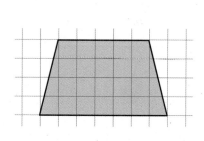

1
_____
_____
_____

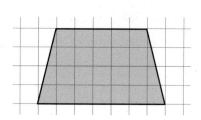

2
_____
_____
_____

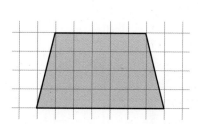

3
_____
_____
_____

06 다양한 블록을 분수로 표현하려고 한다. 물음에 답하시오. [7점]

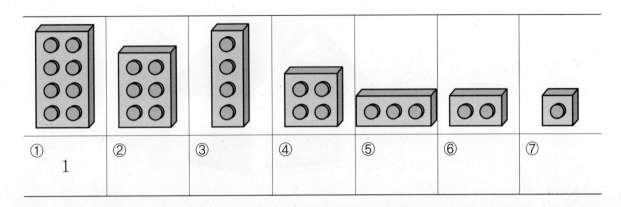

(1) 가장 큰 블록을 1이라고 할 때, 다른 블록들의 크기를 분수로 나타내시오. (블록의 크기는 블록 안 원의 개수에 비례한다.)

(2) (1)에서 구한 분수를 1개 이상 이용하여 정답이 0 이상 1 이하인 뺄셈식을 3가지 만드시오.

정답	뺄셈식	사용한 블록 번호

창의적 문제해결력

07 마당에서 키우는 강아지 집 안에 넣을 물그릇을 사려고 한다. 물음에 답하시오.

(1) 강아지 집 안에 넣을 물그릇을 살 때 고려해야 할 사항을 4가지 쓰시오. [4점]

① _____

② _____

③ _____

④ _____

_____

_____

_____

(2) 물그릇을 사려고 마트에 갔더니 3가지 종류가 있었다. (가)~(다) 중 하나를 선택하고, 선택한 이유를 (1)에서 고려한 사항을 이용하여 서술하시오. (단, 들이와 부피의 용어를 사용하시오.) [8점]

[물그릇의 종류]

물그릇 종류	(가)	(나)	(다)
물그릇의 전체 부피(cm³)	2,512	2,009	1,582
물을 가득 채웠을 때 물의 들이(mL)	1,780	1,384	1,020

선택한 물그릇 종류

선택한 이유

창의적 문제해결력

08 서울 잠실에 위치한 서울스카이는 123층, 555 m의 국내 최고 높이, 세계에서 5번째로 높은 전망대이다. 일반 주거용 엘리베이터는 평균 1 m/s의 속력으로 움직이지만, 서울스카이 엘리베이터는 최고 속력 10 m/s, 평균 속력 8 m/s로 움직인다. 서울스카이 지하 2층에서 엘리베이터를 타고 전망대인 117층까지 총 496 m를 쉬지 않고 올라갈 때 걸린 시간을 구하고 풀이 과정을 서술하시오. [6점]

09 다음은 태양계를 구성하고 있는 행성들의 특징을 나타낸 표이다.

행성	수성	금성	지구	화성	목성	토성	천왕성	해왕성
태양으로부터 거리 (지구=1)	0.4	0.7	1.0	1.5	5.2	9.5	19.2	30.0
질량(지구=1)	0.06	0.82	1.00	0.11	318	95	14.5	17.2
반지름(지구=1)	0.38	0.95	1.00	0.53	11.21	9.45	4.01	3.88
밀도(g/cm³)	5.4	5.2	5.5	3.9	1.4	0.7	1.3	1.6
위성	×	×	○	○	○	○	○	○

(행성의 밀도 : 행성의 질량을 부피로 나눈 값)

태양계의 행성을 두 묶음으로 분류할 수 있는 기준을 3가지 쓰고, 각 분류 기준에 맞게 분류하시오. [6점]

창의적 문제해결력

10 다음은 미끄럼틀을 타고 있는 아이들의 모습이다.

아이들이 미끄럼틀 위로 올라가서 미끄럼틀을 타고 내려올 때 일어나는 에너지 전환 과정을 서술하시오. [6점]

11 양초에 불을 붙인 후 (가)와 같이 장치하고, 철솜에 불을 붙인 후 (나)와 같이 장치한 후 실험하였다.

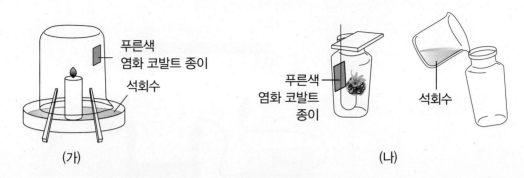

(가) (나)

(가)와 (나)에서 푸른색 염화코발트 종이와 석회수의 변화를 쓰고, 각각의 변화를 통해 알 수 있는 점을 서술하시오. [6점]

(가)

_____

_____

_____

_____

(나)

_____

_____

_____

_____

_____

창의적 문제해결력

12 전자석은 전류가 흐르는 전선 주위에 자석의 성질이 나타나는 것을 이용해 만든 자석이다. 전자석은 영구 자석과 다르게 자석의 세기를 조절할 수 있다. 전자석의 세기를 세게 할 수 있는 방법을 3가지 서술하시오. [7점]

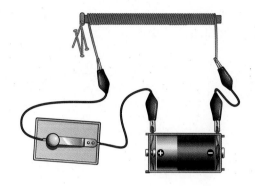

1

2

3

13 우리나라 한옥은 조상의 슬기가 담긴 집이다. 한옥에는 처마, 온돌, 마루, 앞마당이 있다. 처마는 비바람을 막아주고 겨울에는 온돌방에서 따뜻하게, 여름에는 마루에서 시원하게 지낼 수 있다. 한옥은 사계절이 있는 우리나라 기후에 딱 맞는 집이다. 한옥이 계절의 변화를 효율적으로 이용한 방법을 원리와 함께 3가지 서술하시오. [7점]

1

2

3

창의적 문제해결력

14 다음은 어느 날 인터넷에 난 기사의 내용이다. 물음에 답하시오.

[기 사]

2011년 9월 15일 전국적으로 정전이 발생했다. 이 날은 서울 기온 31 ℃를 비롯하여 다수의 지역에 폭염주의보가 발령된 상태였고 그로 인한 에어컨 과다 사용으로 예비전력이 0 kW가 되었기 때문이었다. 500건에 달하는 승강기 고립 신고가 접수되었고 야구 경기도 지연되었다. 횟집과 실내 양식장의 물고기는 산소 부족으로 폐사했으며, 플라스틱 공장은 원료가 굳어서 하루 치 원료를 폐기했고, 병원에서는 수술이 중단되기도 했다.

(1) 에너지는 일을 할 수 있는 능력이다. 여름이 되면 전력 부족으로 에너지 절약을 강조한다. 에너지를 절약해야 하는 이유를 3가지 서술하시오. [4점]

1 _____

_____

2 _____

_____

3 _____

_____

_____

(2) 생활 속에서 에너지를 절약하는 방법을 8가지 서술하시오. [8점]

1

2

3

4

5

6

7

8

「창의적 문제해결력」 모의고사 ④회

안쌤의
창의적 문제해결력 시리즈

초등 1~2학년

초등 3~4학년

초등 5~6학년

중등 1~2학년

안쌤의
줄기과학 시리즈

새 교육과정
3~4학년
학기별
STEAM 과학

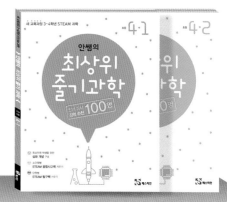

3-1 **8강**   3-2 **8강**   4-1 **8강**   4-2 **8강**

새 교육과정
5~6학년
학기별
STEAM 과학

5-1 **8강**   5-2 **8강**   6-1 **8강**   6-2 **8강**

새 교육과정
중등 영역별
STEAM 과학

물리학 **24강**   화학 **16강**   생명과학 **16강**   지구과학 **16강**   물리학 워크북   화학 워크북

영재교육원 영재학급 관찰추천제 대비

안쌤의
「창의적 문제 해결력」 수학 과학
공통

모의고사 5,6학년

평가가이드

매스티안

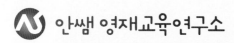 **안쌤 영재교육연구소**

상위 1%가 되는 길로 안내하는 이정표로,
학생들이 꿈을 이루어갈 수 있도록 콘텐츠 개발과 강의 연구를 하고 있다.

안쌤영재교육연구소
**카카오톡
친구 추가하고**
교육 상담 받으세요~!!

저자 안쌤 영재교육연구소

안재범, 최은화, 유나영, 이상호, 추진희, 오아린, 허재이, 이민숙, 이나연, 김혜진, 김샛별

이 교재에 도움을 주신 선생님

강영미, 고려욱, 김민경, 김민정, 김성희, 김영균, 김은수, 김정숙, 김정아, 김정환, 김지영, 김진남,
김진선, 김진영, 김현민, 김형진, 김희진, 노관호, 류수진, 마성재, 박기훈, 박미경, 박선재, 박은아,
박재현, 박지숙, 박진국, 백광열, 서윤정, 손현선, 송경화, 신석화, 신한규, 어유선, 오소영, 유경아,
유승희, 유영란, 유지유, 윤선애, 윤소영, 윤이현, 이경미, 이미영, 이석영, 이아란, 이은덕, 이은범,
이진실, 임선화, 임성은, 임은란, 장수진, 장시영, 전정희, 전진홍, 전현정, 전희원, 정지윤, 정대현,
조영부, 조지훈, 채윤정, 채중석, 최용덕, 최지유, 추지훈, 하정용, 한현정, 홍애순

「창의적 문제해결력」 모의고사  **1**회

평가 가이드

1 수학·과학 문항 **구성** 및 **채점표**

2 문항별 **채점 기준**

평가 영역 / 문항	수학 사고력		수학 창의성		수학 STEAM	
	개념 이해력	개념 응용력	유창성	독창성	문제 파악 능력	문제 해결 능력
1	점					
2	점					
3		점				
4		점				
5			점			
6			점	점		
7					점	점

평가 영역별 점수	개념 이해력	개념 응용력	유창성	독창성	문제 파악 능력	문제 해결 능력
	수학 사고력		수학 창의성		수학 STEAM	
	/ 24점		/ 14점		/ 12점	

수학	총점

● 평가 결과에 따른 학습 방향

사고력	21점 이상	정확하게 답안을 작성하는 연습을 하세요.
	14~20점	교과 개념과 연관된 응용문제로 문제 적응력을 기르세요.
	14점 미만	틀린 문항과 관련된 교과 개념을 다시 공부하세요.

창의성	12점 이상	보다 독창성 있는 아이디어를 내는 연습을 하세요.
	8~11점	다양한 관점의 아이디어를 더 내는 연습을 하세요.
	8점 미만	적절한 아이디어를 더 내는 연습을 하세요.

STEAM	10점 이상	답안을 보다 구체적으로 작성하는 연습을 하세요.
	7~9점	문제 해결 방안의 아이디어를 다양하게 내는 연습을 하세요.
	7점 미만	실생활과 관련된 수학 기사로 수학적 사고를 확장하는 연습을 하세요.

평가 영역 문항	과학 사고력		과학 창의성		과학 STEAM	
	개념 이해력	탐구 능력	유창성	독창성	문제 파악 능력	문제 해결 능력
8	점					
9		점				
10	점					
11		점				
12			점	점		
13			점	점		
14					점	점

평가 영역별 점수	개념 이해력	탐구 능력	유창성	독창성	문제 파악 능력	문제 해결 능력
	과학 사고력		과학 창의성		과학 STEAM	
	/ 24점		/ 14점		/ 12점	

과학	총점	

● 평가 결과에 따른 학습 방향

사고력	21점 이상	정확하게 답안을 작성하는 연습을 하세요.
	14~20점	교과 개념과 연관된 응용문제로 문제 적응력을 기르세요.
	14점 미만	틀린 문항과 관련된 교과 개념을 다시 공부하세요.

창의성	12점 이상	보다 독창성 있는 아이디어를 내는 연습을 하세요.
	8~11점	다양한 관점의 아이디어를 더 내는 연습을 하세요.
	8점 미만	적절한 아이디어를 더 내는 연습을 하세요.

STEAM	10점 이상	답안을 보다 구체적으로 작성하는 연습을 하세요.
	7~9점	문제 해결 방안의 아이디어를 다양하게 내는 연습을 하세요.
	7점 미만	실생활과 관련된 과학 기사로 과학적 사고를 확장하는 연습을 하세요.

01 수학 **사고력**

관련 단원	5학년 1학기 2단원 약수와 배수
평가 영역	개념 이해력

모범답안

$2520 = 2 \times 2 \times 2 \times 3 \times 3 \times 5 \times 7$

5와 7은 다른 자연수와 곱하면 두 자리가 되므로 곱한 값을 사용할 수 없고,

2와 3을 같은 수와 곱하거나 서로 곱하여 다른 한 자리 수로 나타내어야 한다.

따라서 가능한 경우는

$2 \times 4 \times 5 \times 7 \times 9 = 2520$,

$3 \times 4 \times 5 \times 6 \times 7 = 2520$이다.

채점 기준   요소별 채점

개념 이해력 [6점] : 2520을 서로 다른 한 자리의 자연수 5개의 곱으로 나타낼 수 있는가?

채점 요소	점수
2520을 한 자리 자연수의 곱으로 바르게 나타낸 경우	2점
1가지를 바르게 구한 경우	2점
2가지를 바르게 구한 경우	4점

02 수학 **사고력**

관련 단원	5학년 2학기 3단원 합동과 대칭
평가 영역	개념 이해력

모범답안

사각형의 네 각과 마주 보는 각의 크기는 같다.

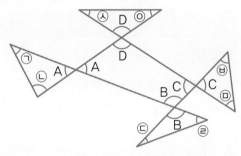

삼각형 세 각의 합은 180°, 사각형 네 각의 합은 360°이므로

$A+B+C+D+ⓐ+ⓑ+ⓒ+ⓓ+ⓔ+ⓕ+ⓖ+ⓗ = 180×4 = 720°$

$A+B+C+D = 360°$

따라서 $ⓐ+ⓑ+ⓒ+ⓓ+ⓔ+ⓕ+ⓖ+ⓗ = 360°$

채점 기준 요소별 채점

개념 이해력 [6점] : 삼각형과 사각형의 내각의 합을 이해하고 있는가?

채점 요소	점수
사각형의 네 각과 마주 보는 각에 바르게 표시한 경우	2점
삼각형과 사각형의 내각의 합을 활용하여 식을 바르게 세운 경우	2점
정답을 바르게 구한 경우	2점

03 수학 **사고력**

관련 단원	5학년 1학기 3단원 규칙과 대응
평가 영역	개념 응용력

모범답안

정답의 개수가 가장 많은 B가 1번을 틀렸다고 가정하면 각 문제의 정답은 다음과 같다.

문제	1번	2번	3번	4번	5번
정답	×	○	○	○	○

이때 A가 맞춘 문제가 3개가 되므로 문제의 조건에 맞지 않는다.

B가 2번을 틀렸다고 가정하면 각 문제의 정답은 다음과 같다.

문제	1번	2번	3번	4번	5번
정답	○	×	○	○	×

이때 A가 맞춘 문제가 1개(3번), C가 맞춘 문제가 2개(1번, 4번)가 되므로 조건에 맞다.

B가 3번을 틀렸다고 가정하면 C가 맞춘 문제가 4개가 되므로 조건에 맞지 않는다.

B가 4번을 틀렸다고 가정하면 A가 맞춘 문제가 3개가 되므로 조건에 맞지 않는다.

B가 5번을 틀렸다고 가정하면 A가 맞춘 문제가 3개, B가 맞춘 문제가 4개가 되므로 조건에 맞지 않는다.

따라서 각 문항의 정답은 다음과 같다.

문제	1번	2번	3번	4번	5번
정답	○	×	○	○	×

채점 기준 요소별 채점

개념 응용력 [6점] : 규칙 사이의 대응 관계를 이해하고 있는가?

채점 요소	점수
B를 기준으로 다른 학생의 정답을 바르게 비교한 경우	3점
정답을 바르게 구한 경우	3점

04 수학 **사고력**

관련 단원	5학년 2학기 3단원 합동과 대칭
평가 영역	개념 응용력

예시답안

① $60°+60°+120°+120°=360°$

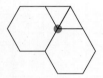

② $60°+60°+60°+60°+120°=360°$

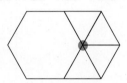

③ $60°+60°+60°+90°+90°=360°$

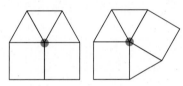

④ $90°+135°+135°=360°$

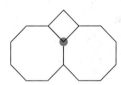

⑤ $60°+90°+90°+120°=360°$

해설

정오각형의 한 내각의 크기는 $108°$이므로 쪽매맞춤을 할 수 없다. 각도의 합이 $360°$가 되는 도형을 찾아 쪽매맞춤을 한다.

채점 기준   총체적 채점

개념 응용력 [6점] : 정다각형을 이용하여 쪽매맞춤을 할 수 있는가?

적절한 아이디어의 수	점수
1가지를 찾고 덧셈식을 바르게 나타낸 경우	1점
2가지를 찾고 덧셈식을 바르게 나타낸 경우	2점
3가지를 찾고 덧셈식을 바르게 나타낸 경우	3점
4가지를 찾고 덧셈식을 바르게 나타낸 경우	4점
5가지를 찾고 덧셈식을 바르게 나타낸 경우	6점

05 수학 **창의성**

관련 단원	5학년 1학기 3단원 규칙과 대응
평가 영역	유창성

예시답안

0	1	1	0	0	1
2	←	↘	←	→	1
1	←	↑	↗	↘	0
1	→	←	↓	↓	2
0	↗	↗	↘	↘	0
1	1	0	1	2	1

0	1	1	0	0	1
2	↑	→	←	←	1
1	←	↑	↗	↘	0
1	←	→	↘	↓	2
0	↗	↗	↓	↓	0
1	1	0	1	2	1

해설

각 숫자와 숫자를 가리키는 화살표를 함께 표시하여 빠짐없이 화살표를 채운다. 예시답안 외에 다양한 방법으로 화살표를 채울 수 있다.

채점 기준 총체적 채점

유창성 [7점] : 적절한 아이디어를 얼마나 많이 찾았는가?

적절한 아이디어의 수	점수
1가지를 바르게 그린 경우	3점
2가지를 바르게 그린 경우	7점

06 수학 **창의성**

관련 단원	5학년 1학기 6단원 다각형의 둘레와 넓이
평가 영역	유창성, 독창성

예시답안

① 밑변의 길이, 높이, 두께를 측정하여 부피를 구해 비교한다.
② 두 지우개를 물이 가득 찬 그릇에 넣고 넘친 물의 양을 비교해 부피를 비교한다.
③ 두 지우개의 무게를 비교한다.
④ 두 지우개의 모양을 종이에 본 떠 넓이를 비교한다.

해설

넓이, 부피, 무게 등의 기준을 이용하여 다양하게 크기를 비교할 수 있다.

채점 기준 　총체적 채점

유창성 [4점] : 적절한 아이디어를 얼마나 많이 찾았는가?

적절한 아이디어의 개수	점수
1가지를 바르게 서술한 경우	1점
2가지를 바르게 서술한 경우	2점
3가지를 바르게 서술한 경우	3점
4가지를 바르게 서술한 경우	4점

독창성 [3점] : 아이디어가 통계적으로 보아 얼마나 드물게 나타나고 또 특별한가?

채점 요소	점수
두 지우개의 무게를 직접 측정하여 비교한 경우	1점
부피나 넓이를 이용하여 바르게 비교한 경우	3점

⑦ 수학 STEAM

관련 단원	5학년 2학기 1단원 수의 범위와 어림하기
평가 영역	문제 파악 능력, 문제 해결 능력

(1) 예시답안

① 바다 깊은 곳에 사는 물고기는 어획하지 못하기 때문이다.
② 바다 전체를 균일하게 어획하지 않기 때문이다.
③ 물고기 종류에 따라 특정 지역에서만 어획하기 때문이다.
③ 산란기 때 암컷이나 어린 물고기는 어획하지 않기 때문이다.

채점 기준 총체적 채점

문제 파악 능력 [4점] : 어획량과 실제 수산자원의 양의 차이가 생기는 이유를 알고 있는가?

적절한 아이디어의 수	점수
1가지를 바르게 서술한 경우	1점
2가지를 바르게 서술한 경우	2점
3가지를 바르게 서술한 경우	4점

(2)

① 단위 부피를 정하고, 이 부피에 있는 물고기의 양을 측정하여 바닷물의 부피에 맞게 곱하여 추산한다.

② 수심에 따라 물고기의 분포가 다르므로 위, 가운데, 아래를 구분한다. 단위 부피를 정해서 이 부피에 있는 물고기의 양을 각각 위, 가운데, 아래에서 측정하여 평균을 낸 다음 바닷물의 부피에 맞게 곱하여 추산한다.

③ 수중 카메라 6대로 단위 정육면체 부피에 있는 물고기의 양을 측정한 후 바닷물의 부피에 맞게 곱하여 추산한다.

면적이 아닌 단위 부피에 있는 물고기의 양을 바탕으로 바다 전체에 사는 물고기의 수를 추산해야 한다.

총체적 채점

문제 해결 능력 [8점] : 문제점을 해결할 수 있는 아이디어를 고안했는가?

적절한 아이디어의 수	점수
1가지를 바르게 서술한 경우	4점
2가지를 바르게 서술한 경우	8점

08 과학 **사고력**

관련 단원	5학년 1학기 2단원 온도와 열
평가 영역	개념 이해력

모범답안

* 패딩을 입으면 따뜻한 이유 : 거위 털이나 오리털 사이의 공기가 열이 이동하는 것을 막기 때문이다.

* 우리 생활에서 이 원리를 이용한 경우

① 이중창 사이의 공기가 열의 이동을 막는다.

② 겨울에 얇은 옷을 여러 겹 입으면 옷 사이의 공기가 열의 이동을 막아 두꺼운 옷을 한 개 입을 때보다 더 따뜻하다.

③ 겨울철 유리에 에어캡(뽁뽁이)을 붙이면 에어캡 안의 공기가 열의 이동을 막아 실내가 따뜻하다.

④ 건물 벽에 공기를 많이 포함한 솜이나 스타이로폼 등을 붙이면 열의 이동을 막아 온도 변화가 크지 않게 한다.

해설

패딩은 전도, 대류, 복사 중 전도를 막아 따뜻하게 한다. 패딩 안에 들어 있는 거위 털이나 오리털 등 충전재 때문에 따뜻하다고 생각하기 쉽지만, 사실 보온 역할을 하는 것은 털이 아니라 공기다. 거위 털이나 오리털이 서로 얽히면서 빈 공간 사이사이에 공기층이 만들어진다. 이 공기층은 따뜻한 우리 몸의 열이 밖으로 빠져나가는 것을 막는다. 공기가 열을 잘 전달하지 않는 특징을 이용한 것이다.

채점 기준   요소별 채점

개념 이해력 [6점] : 공기에서 열이 이동하는 빠르기가 느린 것을 이해하고 있는가?

채점 요소	점수
패딩을 입으면 따뜻한 이유를 공기와 관련지어 바르게 서술한 경우	3점
우리 생활에서 이 원리를 이용한 경우 1가지를 바르게 서술한 경우	1점
우리 생활에서 이 원리를 이용한 경우 2가지를 바르게 서술한 경우	3점

09 과학 **사고력**

관련 단원	6학년 2학기 1단원 전기의 이용
평가 영역	탐구 능력

모범답안

* 전구의 밝기 비교 : (나)>(가)=(다)
* 이유 : 전지를 직렬연결하면 전류가 많이 흐르므로 전구의 밝기가 밝아지고, 병렬연결하면 전지 하나를 연결했을 때와 흐르는 전류의 양이 같으므로 전구의 밝기가 비슷하다.

해설

전지를 직렬연결하면 전압이 세져 전류가 많이 흐르므로 전구의 밝기가 밝아지지만, 병렬연결하면 전압이 변하지 않아 흐르는 전류의 양이 같으므로 전구의 밝기는 변하지 않는다.

채점 기준 요소별 채점

탐구 능력 [6점] : 전지의 직렬연결과 병렬연결의 차이를 이해하고 있는가?

채점 요소	점수
전구의 밝기를 바르게 비교한 경우	2점
직렬연결과 전류의 관계를 이용하여 바르게 서술한 경우	2점
병렬연결과 전류의 관계를 이용하여 바르게 서술한 경우	2점

⑩ 과학 **사고력**

관련 단원	6학년 1학기 5단원 빛과 렌즈
평가 영역	개념 이해력

예시답안

① 가까이 있는 물체가 크고 바르게 보이는지 확인한다.
② 멀리 떨어진 물체가 작고 거꾸로 보이는지 확인한다.
③ 렌즈의 가운데 부분이 가장자리보다 두꺼운지 확인한다.
④ 렌즈를 통과한 빛이 한 점에 모이는지 확인한다.
⑤ 렌즈를 통과한 빛으로 종이를 태울 수 있는지 확인한다.

해설

볼록 렌즈는 가운데 부분이 가장자리보다 두꺼운 렌즈로, 렌즈를 통과한 빛은 한 점에서 모인다. 볼록 렌즈는 물체가 초점 안쪽에 있을 때만 상을 확대한다. 확대된 상은 실제 물체보다 더 크게 또는 가깝게 보이고 똑바로 보이는 허상이다. 물체가 볼록 렌즈 초점 밖에 멀리 있을 때는 뒤집힌 실상이 보인다.

채점 기준 총제적 채점

개념 이해력 [6점] : 볼록 렌즈의 특징을 알고 있는가?

적절한 아이디어의 수	점수
1가지를 바르게 서술한 경우	1점
2가지를 바르게 서술한 경우	2점
3가지를 바르게 서술한 경우	4점
4가지를 바르게 서술한 경우	6점

11 과학 **사고력**

관련 단원	5학년 2학기 5단원 산과 염기
평가 영역	탐구 능력

모범답안

* 탄산음료가 치아 건강에 미치는 영향 : 산성 용액은 탄산 칼슘을 녹인다. 탄산음료는 산성 용액이므로 칼슘 성분인 치아를 녹이거나 상하게 할 수 있다.
* 탄산음료로부터 치아 건강을 지킬 수 있는 방법 : 탄산음료를 마신 직후 칫솔질을 하면 탄산음료에 의해 부식된 치아를 치약 연마제로 문지르게 되므로 치아가 마모될 수 있다. 따라서 물이나 양치액으로 입안을 헹군 다음 시간이 조금 지난 후 칫솔질을 하는 것이 좋다.

해설

지시약에 의한 색깔 변화를 통해 탄산음료의 성질이 산성임을 알 수 있다. 산성 용액은 탄산 칼슘을 녹이는 성질이 있으므로 치아를 녹이거나 상하게 할 수 있다. 때문에 탄산음료를 마신 후에는 양치질을 하는 것이 좋다. 그러나 탄산음료를 마신 직후 양치질을 하면 탄산음료에 의해 부식된 치아를 치약의 연마제로 문지르게 되므로 치아의 마모가 증가될 수 있다. 그러므로 바로 칫솔질을 하기보다 물이나 양치액으로 입안을 헹군 다음 30분~1시간 후에 칫솔질을 하는게 좋다고 알려져 있다.

채점 기준   요소별 채점

탐구 능력 [6점] : 산성 용액의 특징을 알고 있는가?

채점 요소	점수
탄산음료가 산성 용액임을 서술한 경우	2점
산성 용액이 칼슘을 녹이는 성질이 있음을 서술한 경우	2점
치아 건강을 지킬 수 있는 방법을 탄산음료와 칫솔질의 영향과 관련지어 바르게 서술한 경우	2점
치아 건강을 지킬 수 있는 방법을 서술했지만 탄산음료와 칫솔질의 영향과 관련짓지 않은 경우	1점

12 과학 **창의성**

관련 단원	5학년 1학기 3단원 태양계와 별
평가 영역	유창성, 독창성

예시답안

① 달에는 공기가 없어 호흡할 수 없으므로 산소 공급 장치가 필요하다.

② 달에는 물이 없으므로 수분 공급 장치가 필요하다.

③ 달은 공기가 없어 뜨거운 곳과 차가운 곳의 온도 차가 크므로 일정한 온도를 유지하는 온도 조절 장치가 필요하다.

④ 사람이 먹을 음식과 신선한 산소를 얻고 이산화 탄소를 줄이기 위한 식물이 필요하다.

⑤ 사람이 호흡할 때 나오는 이산화 탄소가 많아지면 산소가 충분해도 사람이 살 수 없으므로 이산화 탄소를 걸러주는 장치가 필요하다.

해설

달은 지구처럼 사람이 살아가는데 필요한 물과 공기, 음식 등이 없으므로 이들을 공급해 줄 장치가 필요하다.

채점 기준   총체적 채점

유창성 [4점] : 적절한 아이디어를 얼마나 많이 찾았는가?

적절한 아이디어의 수	점수
1가지를 바르게 서술한 경우	1점
2가지를 바르게 서술한 경우	2점
3가지를 바르게 서술한 경우	4점

독창성 [3점] : 아이디어가 통계적으로 보아 얼마나 드물게 나타나고 또 특별한가?

채점 요소	점수
호흡하는 데 필요한 산소, 마실 수 있는 물 등 직접적인 요소를 바르게 서술한 경우	1점
온도 조절 장치, 호흡으로 생성된 이산화 탄소 제거 장치 등 2차적인 요소를 바르게 서술한 경우	3점

13 과학 **창의성**

관련 단원	6학년 1학기 2단원 지구와 달의 운동
평가 영역	유창성, 독창성

예시답안

① 하루가 48시간이 될 것이다.

② 낮과 밤이 각각 평균 24시간이 될 것이다.

③ 낮과 밤이 길어져 낮과 밤의 온도 차가 커질 것이다.

④ 낮과 밤이 24시간으로 길어지면 사람과 동식물의 생활 방식이 달라질 것이다.

⑤ 하루 동안 태양, 달, 별이 움직이는 속도가 느려질 것이다.

⑥ 밀물과 썰물이 12시간 간격으로 반복될 것이다.

⑦ 자전 속도가 느려지고 달이 지금보다 더 멀어질 것이다.

해설

피겨 스케이팅에서 빨리 회전하려면 두 팔을 가슴에 모으고, 느리게 회전하려면 두 팔을 뻗는다. 이와 같은 원리로 지구의 자전 속도가 느려지면 지구와 달의 거리가 멀어진다.

채점 기준   총체적 채점

유창성 [5점] : 적절한 아이디어를 얼마나 많이 찾았는가?

적절한 아이디어의 수	점수
1가지를 바르게 서술한 경우	1점
2가지를 바르게 서술한 경우	3점
3가지를 바르게 서술한 경우	5점

독창성 [2점] : 아이디어가 통계적으로 보아 얼마나 드물게 나타나고 또 특별한가?

채점 요소	점수
하루 길이에 관해 바르게 서술한 경우	1점
온도 차, 생활 방식 변화, 천체의 움직임 등 2차적인 변화를 바르게 서술한 경우	2점

14 과학 STEAM

관련 단원	5학년 1학기 5단원 다양한 생물과 우리 생활
평가 영역	문제 파악 능력, 문제 해결 능력

(1)

모범답안

비위생적인 환경에서 사는 사람들 몸속에 있는 장내 세균이 면역계와 맞서 싸우면서 면역력를 키우기 때문이다.

해설

저개발국의 비위생적인 환경에서 사는 사람들 몸속에 있는 회충 등 기생충이 면역 시스템에 자극을 주어 오히려 면역력을 강화한다는 사실을 밝혀냈다. 이는 이물질인 장내 세균이 면역계와 싸우면서 면역력을 키우는 것과 같은 원리다.

채점 기준 요소별 채점

문제 파악 능력 [4점] : 면역력을 키우는 원리를 기사 내용을 통해 파악할 수 있는가?

채점 요소	점수
장내 세균과 면역력의 관계를 이용하여 원인과 결과를 바르게 서술한 경우	4점
면역력이 커졌기 때문이라고 결과만 바르게 서술한 경우	2점

(2)

① 장내 세균을 증가시키는 김치, 된장 등 발효식품을 먹는다.

② 장내 세균을 줄이는 각종 살균제 및 항생제 사용을 줄인다.

③ 장내 세균을 줄이는 인스턴트 식품을 먹지 않는다.

④ 장내 세균을 줄이는 식품첨가물이 많이 들어 있는 식품을 먹지 않는다.

⑤ 장내 세균의 먹이가 되는 식이섬유를 풍부하게 먹는다.

해설

발효식품은 미생물의 발효 작용을 이용하여 만든 식품이므로, 발효식품 안에는 장내 세균 중 유익균이 많이 들어 있다. 따라서 발효식품은 장내 세균의 유익균을 증가시키는 데 좋은 역할을 한다. 각종 살균제 및 항생제를 사용하고, 장내 세균의 먹이가 되는 식이섬유를 풍부하게 섭취하지 않고 인스턴트 식품을 과도하게 섭취하거나 다양한 식품첨가물을 섭취함으로써 장내 세균이 줄어들고 있다. 장내 세균에는 유익균과 유해균이 있다. 각종 살균제 및 항생제가 유해균을 줄이긴 했지만, 유익균도 같이 줄이기 때문에 문제가 된다. 장내 세균이 줄어들면 변비 증상이 나타난다.

채점 기준 총체적 채점

문제 해결 능력 [8점] : 문제점을 해결할 수 있는 아이디어를 고안했는가?

적절한 아이디어의 수	점수
바르게 서술한 경우 1가지당	1.6점

모의고사 ①회 평가 가이드

「창의적 문제해결력」 모의고사 2회

평가 가이드

① 수학·과학 문항 **구성** 및 **채점표**

② 문항별 **채점 기준**

수학 | 문항 구성 및 채점표

평가 영역 문항	수학 사고력		수학 창의성		수학 STEAM	
	개념 이해력	개념 응용력	유창성	독창성	문제 파악 능력	문제 해결 능력
1	점					
2		점				
3	점					
4		점				
5			점			
6			점	점		
7					점	점

평가 영역별 점수	개념 이해력	개념 응용력	유창성	독창성	문제 파악 능력	문제 해결 능력
	수학 사고력		수학 창의성		수학 STEAM	
	/ 24점		/ 14점		/ 12점	

수학		총점	

● 평가 결과에 따른 학습 방향

사고력	21점 이상	정확하게 답안을 작성하는 연습을 하세요.
	14~20점	교과 개념과 연관된 응용문제로 문제 적응력을 기르세요.
	14점 미만	틀린 문항과 관련된 교과 개념을 다시 공부하세요.

창의성	12점 이상	보다 독창성 있는 아이디어를 내는 연습을 하세요.
	8~11점	다양한 관점의 아이디어를 더 내는 연습을 하세요.
	8점 미만	적절한 아이디어를 더 내는 연습을 하세요.

STEAM	10점 이상	답안을 보다 구체적으로 작성하는 연습을 하세요.
	7~9점	문제 해결 방안의 아이디어를 다양하게 내는 연습을 하세요.
	7점 미만	실생활과 관련된 수학 기사로 수학적 사고를 확장하는 연습을 하세요.

문항 \ 평가 영역	과학 사고력		과학 창의성		과학 STEAM	
	개념 이해력	탐구 능력	유창성	독창성	문제 파악 능력	문제 해결 능력
8		점				
9		점				
10	점					
11	점					
12			점	점		
13			점	점		
14					점	점

평가 영역별 점수	개념 이해력	탐구 능력	유창성	독창성	문제 파악 능력	문제 해결 능력
	과학 사고력		과학 창의성		과학 STEAM	
	/ 24점		/ 14점		/ 12점	

과학	총점	

● 평가 결과에 따른 학습 방향

사고력
- **21점 이상** 정확하게 답안을 작성하는 연습을 하세요.
- **14~20점** 교과 개념과 연관된 응용문제로 문제 적응력을 기르세요.
- **14점 미만** 틀린 문항과 관련된 교과 개념을 다시 공부하세요.

창의성
- **12점 이상** 보다 독창성 있는 아이디어를 내는 연습을 하세요.
- **8~11점** 다양한 관점의 아이디어를 더 내는 연습을 하세요.
- **8점 미만** 적절한 아이디어를 더 내는 연습을 하세요.

STEAM
- **10점 이상** 답안을 보다 구체적으로 작성하는 연습을 하세요.
- **7~9점** 문제 해결 방안의 아이디어를 다양하게 내는 연습을 하세요.
- **7점 미만** 실생활과 관련된 과학 기사로 과학적 사고를 확장하는 연습을 하세요.

01 수학 **사고력**

관련 단원	5학년 2학기 6단원 평균과 가능성
평가 영역	개념 이해력

모범답안

* 리그전 : 28경기

$7+6+5+4+3+2+1=28$(경기)

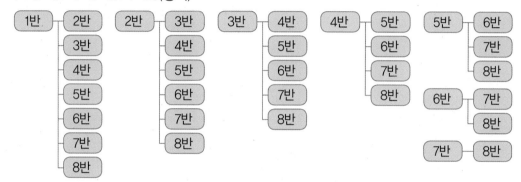

* 토너먼트 : 12경기

먼저 4번 경기하여 이긴 팀과 진 팀으로 나눈다. 이긴 팀과 진 팀 각 4반끼리 토너먼트를 진행하고 첫 경기에서 진 반은 순위 결정(3~4위, 7~8위)을 위해 한 번씩 더 경기를 진행한다. 따라서 이긴 팀과 진 팀 각각 4경기씩 해야 한다. 따라서 총 진행해야 하는 경기 수는 12경기이다.

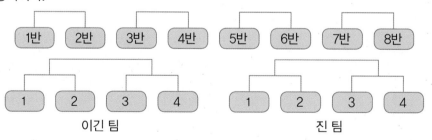

이긴 팀　　　　　　　　　　진 팀

채점 기준　요소별 채점

개념 이해력 [6점] : 리그전과 토너먼트의 차이를 이해하고 있는가?

채점 요소	점수
리그전 경기 수를 바르게 구하고 풀이 과정을 바르게 서술한 경우	3점
리그전 경기 수를 바르게 구했지만 풀이 과정을 바르게 서술하지 않은 경우	1점
토너먼트 경기 수를 바르게 구하고 풀이 과정을 바르게 서술한 경우	3점
토너먼트 경기 수를 바르게 구했지만 풀이 과정을 바르게 서술하지 않은 경우	1점

⑫ 수학 **사고력**

관련 단원	5학년 1학기 2단원 약수와 배수
평가 영역	개념 응용력

모범답안

$\dfrac{4}{7} = \dfrac{12}{21} = \dfrac{16}{28} = \dfrac{20}{35} = \dfrac{24}{42} = \dfrac{28}{49} = \dfrac{32}{56} = \dfrac{36}{63} = \dfrac{40}{70} = \dfrac{44}{77} = \dfrac{48}{84} = \dfrac{52}{91} = \dfrac{56}{98}$ 이므로

조건을 만족하는 분수는 $\dfrac{12}{21}, \dfrac{24}{42}, \dfrac{36}{63}, \dfrac{48}{84}$ 의 4개이다.

해설

$\dfrac{8}{14}$ 는 분자가 한 자리 수이므로 조건을 만족하지 못한다.

채점 기준   총체적 채점

개념 응용력 [6점] : 분수 계산을 할 수 있는가?

채점 요소	점수
조건을 만족하는 분수 1가지당	1.5점

03 수학 **사고력**

관련 단원	5학년 2학기 5단원 직육면체
평가 영역	개념 이해력

모범답안

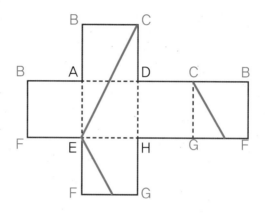

채점 기준   요소별 채점

개념 이해력 [6점] : 입체 도형의 전개도를 이해할 수 있는가?

채점 요소	점수
기호를 모두 바르게 표시한 경우	3점
선을 바르게 표시한 경우	3점

04 수학 사고력

관련 단원	6학년 2학기 3단원 공간과 입체
평가 영역	개념 응용력

모범답안

최소 개수 13개, 최대 개수 15개

해설

1층은 위에서 볼 때의 모양과 같은 위치에 쌓기나무가 있어야 하므로 ①~⑩번 자리에 1개씩 있어야 한다.

앞과 오른쪽에서 볼 때 가장 오른쪽이 3층이므로 ④번 자리에 2개 더 있어야 한다.

⑤번 자리에 1개 더 있으면 총 13개 최소 개수로 조건에 만족하는 모양을 쌓을 수 있다.

③번, ⑥번 자리에 1개씩 더 있으면 총 15개 최대 개수로 조건에 만족하는 모양을 쌓을 수 있다.

최소 개수   최대 개수

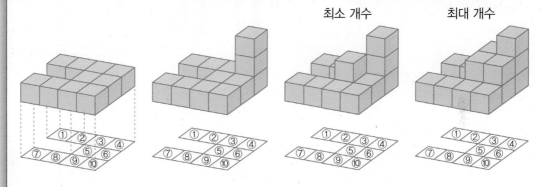

채점 기준　요소별 채점

개념 응용력 [6점] : 위, 앞, 오른쪽에서 본 모양을 바탕으로 쌓기나무의 모양을 알 수 있는가?

채점 요소	점수
쌓기나무의 최소 개수를 바르게 구한 경우	3점
쌓기나무의 최대 개수를 바르게 구한 경우	3점

05 수학 **창의성**

관련 단원	5학년 1학기 1단원 자연수의 혼합계산
평가 영역	유창성

예시답안

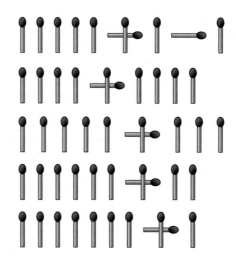

해설

합이 5와 8이 되는 덧셈식을 먼저 구한 다음 성냥을 옮겨 식을 완성한다.

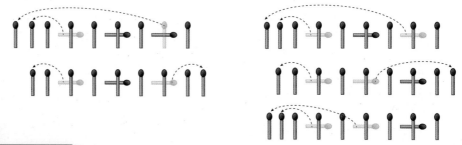

채점 기준 총체적 채점

유창성 [7점] : 적절한 아이디어를 얼마나 많이 찾았는가?

적절한 아이디어의 수	점수
1가지를 바르게 만든 경우	1점
2가지를 바르게 만든 경우	2점
3가지를 바르게 만든 경우	3점
4가지를 바르게 만든 경우	5점
5가지를 바르게 만든 경우	7점

06 수학 **창의성**

관련 단원	6학년 1학기 5단원 여러 가지 그래프
평가 영역	유창성, 독창성

예시답안

① 인구 증감이나 소득 변화와 같은 통계정보를 그래프로 나타낸다.

② 일기예보에서 지역별 기온을 표로 나타낸다.

③ 주식이나 환율 변화를 표와 그래프로 나타낸다.

④ 시험 결과를 표나 그래프로 나타낸다.

⑤ 오디오의 볼륨을 올리거나 내릴 때 변화를 그래프로 나타낸다.

⑥ 스마트폰이나 전자기기의 배터리 잔량을 그래프로 나타낸다.

채점 기준 총체적 채점

유창성 [4점] : 적절한 아이디어를 얼마나 많이 찾았는가?

적절한 아이디어의 수	점수
1~2가지를 바르게 서술한 경우	1점
3가지를 바르게 서술한 경우	2점
4가지를 바르게 서술한 경우	3점
5가지를 바르게 서술한 경우	4점

독창성 [3점] : 아이디어가 통계적으로 보아 얼마나 드물게 나타나고 또 특별한가?

채점 요소	점수
표 또는 그래프로 나타내는 경우만 바르게 서술한 경우	1점
표와 그래프로 나타내는 경우를 모두 바르게 서술한 경우	3점

07 수학 STEAM

관련 단원	6학년 1학기 3단원 소수의 나눗셈
평가 영역	문제 파악 능력, 문제 해결 능력

(1) **모범답안**

243,244대

$6{,}000 \times 30 \div 0.74 = 243{,}243.243$이므로 한 달에 자동차가 243,244대 지나가야 한다.

해설

구한 값이 243,243.243이므로 일반 가정집이 한 달 동안 사용할 수 있는 전기를 만들려면 소수점 첫째 자리에서 올림 한 243,244대가 지나가야 한다.

채점 기준 요소별 채점

문제 파악 능력 [4점] : 문제에서 요구하는 답을 구하기 위해 식을 제대로 세울 수 있는가?

채점 요소	점수
계산식을 바르게 서술한 경우	2점
올림해서 답을 구한 경우	2점

(2)

① 이동 차량이 많은 고속도로 요금소(톨게이트)

② 유동 인구가 많은 종로 지역 인도

③ 유동 인구가 많은 지하철역 계단 또는 보도

④ 헬스장의 러닝머신

⑤ 아이들이 뛰노는 키즈카페 또는 놀이터 바닥

해설

압력을 한 번 가할 때마다 전기가 만들어지므로 이를 활용할 수 있는 장소를 생각해본다.

채점 기준   총체적 채점

문제 해결 능력 [8점] : 문제점을 해결할 수 있는 아이디어를 고안했는가?

적절한 아이디어의 수	점수
1가지를 바르게 쓴 경우	1점
2가지를 바르게 쓴 경우	2점
3가지를 바르게 쓴 경우	4점
4가지를 바르게 쓴 경우	6점
5가지를 바르게 쓴 경우	8점

08 과학 **사고력**

관련 단원	6학년 1학기 4단원 식물의 구조와 기능
평가 영역	탐구 능력

모범답안

① 빛의 양
② 습도
③ 온도
④ 식물의 크기
⑤ 식물의 종류
⑥ 식물의 뿌리 상태
⑦ 삼각 플라스크 안의 물의 양
⑦ 비닐봉지의 종류

해설

잎의 수에 따라 식물의 뿌리가 흡수하는 물의 양의 관계를 알아보기 위해서는 잎의 수를 제외한 다른 모든 조건을 같게 해야 한다. 이처럼 실험에서 원하는 결과를 얻기 위해 서로 다르게 하는 조건을 조작 변인이라 하고, 그 외에 모든 조건을 같게 하는 것을 통제 변인이라고 한다.

채점 기준 총체적 채점

탐구 능력 [6점] : 실험할 때 통제 변인을 찾을 수 있는가?

적절한 아이디어의 수	점수
1가지를 바르게 쓴 경우	1점
2가지를 바르게 쓴 경우	2점
3가지를 바르게 쓴 경우	3점
4가지를 바르게 쓴 경우	4점
5가지를 바르게 쓴 경우	6점

09 과학 사고력

관련 단원	5학년 2학기 3단원 날씨와 우리 생활
평가 영역	탐구 능력

모범답안

* 낮 : 낮에는 지면 위의 공기의 온도가 더 높으므로 저기압이 되고, 수면 위는 고기압이 되어 바다에서 육지로 해풍이 분다.
* 이유 : 밤에는 수면 위의 공기의 온도가 더 높으므로 저기압이 되고, 지면 위는 고기압이 되어 육지에서 바다로 육풍이 분다.

해설

어느 한 곳의 기압이 다른 곳보다 높으면 기압이 높은 곳에서 낮은 곳으로 힘이 작용하여 공기가 이동한다. 기압 차로 인해 공기가 수평 방향으로 이동하는 것을 바람이라고 하고, 두 곳의 기압 차가 클수록 바람이 강하게 분다.

채점 기준　요소별 채점

탐구 능력 [6점] : 지면과 수면의 온도 변화를 바탕으로 바람의 방향을 찾을 수 있는가?

채점 요소	점수
낮에 부는 바람의 방향과 이유를 바르게 서술한 경우	3점
낮에 부는 바람의 방향은 맞지만 이유를 바르게 서술하지 않은 경우	1점
밤에 부는 바람의 방향과 이유를 바르게 서술한 경우	3점
밤에 부는 바람의 방향은 맞지만 이유를 바르게 서술하지 않은 경우	1점

⑩ 과학 **사고력**

관련 단원	6학년 2학기 2단원 계절의 변화
평가 영역	개념 이해력

모범답안

* 기온 변화 그래프 : ⓒ
* 이유 : 태양 에너지가 지표면을 데우고, 데워진 지표면에 의해 공기의 온도가 높아지는데, 공기가 데워지는 데 시간이 걸리기 때문이다.

해설

태양 고도가 높아지면 기온도 높아진다. 하지만 태양 고도가 가장 높을 때와 기온이 가장 높을 때는 약 2시간 정도 시간 차이가 있다. 이는 태양 에너지에 의해 지표면이 데워지는 데 시간이 걸리기 때문이다.

채점 기준 요소별 채점

개념 이해력 [6점] : 태양 고도와 기온 사이의 관계를 이해하고 있는가?

채점 요소	점수
ⓒ을 고른 경우	3점
태양 고도와 기온이 가장 높을 때의 시간 차이를 서술한 경우	3점

⑪ 과학 사고력

관련 단원	5학년 2학기 2단원 생물과 환경
평가 영역	개념 이해력

모범답안

처음에는 메뚜기의 먹이인 생산자의 수가 줄어들고, 메뚜기를 먹는 2차 소비자의 수는 늘어날 것이다. 먹이(생산자)가 부족하고, 포식자(2차 소비자)가 많아지면 메뚜기의 수가 다시 줄어든다. 따라서 생산자의 수는 늘어나고 2차 소비자의 수가 줄어들어 시간이 지나면 다시 생태계 평형이 회복될 것이다.

해설

어떤 지역에 사는 생물의 종류와 수 또는 양이 균형을 유지하며 안정된 상태를 유지하는 것을 생태계 평형이라고 한다. 먹이 사슬에서 잡아먹는 생물(포식자)의 수가 증가하면, 잡아먹히는 생물(피식자)의 수는 줄어든다. 잡아먹히는 생물의 수가 줄어들면 잡아먹는 생물의 수도 차츰 줄어들어 자연적으로 생태계 평형이 유지된다.

채점 기준 요소별 채점

개념 이해력 [6점] : 생태 피라미드에서 포식자의 수가 증가했을 때 변화를 알고 있는가?

채점 요소	점수
생산자 수의 변화를 이용하여 바르게 서술한 경우	1점
2차 소비자 수의 변화를 이용하여 바르게 서술한 경우	1점
메뚜기의 수가 다시 줄어듦을 바르게 서술한 경우	2점
생태계의 평형이 다시 회복됨을 바르게 서술한 경우	2점

12 과학 **창의성**

관련 단원	6학년 1학기 4단원 식물의 구조와 기능
평가 영역	유창성, 독창성

예시답안

① 꽃 : 곤충이나 동물을 유인하지 못해 꽃가루받이(수분)를 하지 못하기 때문에 씨와 열매를 맺지 못할 것이다.

② 잎 : 광합성을 하지 못하므로 양분(녹말)을 만들지 못하고, 증산 작용이 일어나지 않으므로 물의 순환이 일어나지 않아 죽을 것이다.

③ 열매 : 번식하지 못해 멸종할 것이다.

④ 줄기 : 물과 양분이 이동하지 못하기 때문에 말라 죽고, 지지 작용을 하지 못하므로 바로 서지 못할 것이다.

⑤ 뿌리 : 물과 양분을 흡수하지 못하기 때문에 말라 죽고, 지지 작용을 하지 못하므로 땅에 고정되지 못할 것이다.

해설

꽃은 동물을 유인하고 씨를 만든다. 잎은 광합성을 통해 양분(녹말)을 만들고 증산 작용이 일어나는 곳이다. 열매는 씨를 보호하고 널리 퍼트린다. 줄기에는 잎이 달려 있으며, 식물을 지지하고 물과 양분의 이동 통로가 된다. 뿌리는 식물을 지지하고 물과 양분을 흡수하며 양분을 저장하기도 한다.

채점 기준 총체적 채점

유창성 [4점] : 적절한 아이디어를 얼마나 많이 찾았는가?

적절한 아이디어의 수	점수
1가지를 바르게 서술한 경우	2점
2가지를 바르게 서술한 경우	4점

독창성 [3점] : 아이디어가 통계적으로 보아 얼마나 드물게 나타나고 또 특별한가?

채점 요소	점수
나타날 수 있는 현상을 1가지만 바르게 서술한 경우	1점
나타날 수 있는 현상을 2가지 이상 바르게 서술한 경우	3점

13 과학 **창의성**

관련 단원	5학년 2학기 2단원 생물과 환경
평가 영역	유창성, 독창성

예시답안

① 뱀이 갑자기 많아져 개구리의 수가 많이 줄어들 것이다.

② 시간이 지난 후 개구리의 수가 줄어들면 뱀이 개구리 대신 두더지와 쥐를 먹어서 이들의 수도 줄어들 것이다.

③ 쥐의 수가 줄어들면 독수리의 먹이가 부족해져 독수리의 수도 줄어들 것이다.

④ 시간이 흐르면 모든 생물의 수가 줄어들어 생태계가 작아질 것이다.

해설

어떤 지역에 살고 있는 생물의 종류와 수 또는 양이 급격히 변하지 않고 균형을 유지하며 안정된 상태를 유지하는 것을 생태계 평형이라고 한다. 안정된 생태계는 평형을 유지하고 조절하는 능력이 있다. 그러나 지나치게 심한 변화가 일어나면 생태계의 평형이 깨지게 된다. 생태계의 평형이 깨지는 원인에는 가뭄, 홍수, 태풍, 지진, 화산 분출, 산불과 같은 자연적인 요인과 지구 온난화, 산성비, 오존층 파괴, 귀화 생물에 의한 요인, 댐, 도로, 골프장 건설 등과 같이 사람에 의한 인위적인 요인이 있다. 인위적인 요인에 의해 파괴될 경우 그대로 다시 회복할 수 없고 큰 비용과 노력이 필요하다. 한번 파괴된 생태계가 회복되는 데에는 오랜 시간과 큰 노력이 필요하므로 생태계가 파괴되지 않도록 주의해야 한다.

채점 기준   총체적 채점

유창성 [4점] : 적절한 아이디어를 얼마나 많이 찾았는가?

적절한 아이디어의 수	점수
1가지를 바르게 서술한 경우	1점
2가지를 바르게 서술한 경우	2점
3가지를 바르게 서술한 경우	4점

독창성 [3점] : 아이디어가 통계적으로 보아 얼마나 드물게 나타나고 또 특별한가?

채점 요소	점수
개구리의 변화에 관해서만 바르게 서술한 경우	1점
개구리 외 다른 생물의 변화를 바르게 서술한 경우	3점

14 과학 STEAM

관련 단원	5학년 2학기 5단원 산과 염기
평가 영역	문제 파악 능력, 문제 해결 능력

(1) 모범답안

도심에 가까울수록 산림 토양의 산성화가 심하므로 식물의 싹이 잘 트지 못할 것이다.

해설

묽은 황산 용액(산성 용액)을 뿌려준 무씨는 3일이 지나도 3개의 씨앗 밖에 싹이 트지 않았지만, 물을 뿌려준 무씨는 싹이 빨리 트고 모두 싹이 텄다. 토양이 산성화되면 씨앗의 싹이 잘 트지 않거나 싹이 트더라도 정상적인 생장을 할 수 없다.

채점 기준 요소별 채점

문제 파악 능력 [4점] : 실험 결과를 바탕으로 토양의 산성화가 식물에 미치는 영향을 예상할 수 있는가?

채점 요소	점수
지역의 특성을 정확하게 찾고 실험 결과와 관련지어 바르게 서술한 경우	4점
지역의 특성을 정확하게 찾았으나 실험 결과와 관련지어 서술하지 않은 경우	2점

(2)

① 퇴비나 석회를 뿌려 산성화된 토양을 중화시킨다.

② 산성화된 토양에서도 잘 자라는 식물을 심는다.

③ 화석 연료 사용을 줄여 토양 산성화의 주범인 대기 오염 물질 배출량을 줄인다.

④ 자동차 사용량을 줄이고 대중교통을 이용하여 토양 산성화의 주범인 대기 오염 물질의 배출을 줄인다.

⑤ 사방 공사를 하거나 등고선 경작을 하여 집중 호우 시 토양의 유실을 막는다.

⑥ 토양 미생물 및 비옥한 흙을 만드는 비료 목(싸리나무류, 오리나무류, 아까시나무 등)을 많이 심는다.

해설

우리가 에너지원으로 사용하는 석탄, 석유, 천연가스 등의 화석 연료가 연소하는 과정에서 대량의 황 산화물이나 질소 산화물이 발생하고, 이들이 대기의 수증기와 만나면 황산이나 질산으로 바뀐다. 황산이나 질산이 비와 함께 섞여 내리면 산성비가 된다. 산성비가 내리면 토양이 산성화되어 척박해지고, 호수가 산성화되어 생물에 아주 심한 피해를 준다. 집중 호우 시 땅속의 염기성 물질이 씻겨 내려가 산성화되기도 한다.

채점 기준   총체적 채점

문제 해결 능력 [8점] : 문제점을 해결할 수 있는 방법을 고안했는가?

적절한 아이디어의 수	점수
1가지를 바르게 서술한 경우	2점
2가지를 바르게 서술한 경우	5점
3가지를 바르게 서술한 경우	8점

모의고사 2회 평가 가이드

「창의적 문제해결력」 모의고사 3회

평가 가이드

1 수학·과학 문항 **구성** 및 **채점표**

2 문항별 **채점 기준**

평가 영역 문항	수학 사고력		수학 창의성		수학 STEAM	
	개념 이해력	개념 응용력	유창성	독창성	문제 파악 능력	문제 해결 능력
1		점				
2	점					
3		점				
4	점					
5			점	점		
6			점			
7					점	점

평가 영역별 점수	개념 이해력	개념 응용력	유창성	독창성	문제 파악 능력	문제 해결 능력
	수학 사고력		수학 창의성		수학 STEAM	
	/ 24점		/ 14점		/ 12점	

수학		총점	

● 평가 결과에 따른 학습 방향

사고력
- **21점 이상** 정확하게 답안을 작성하는 연습을 하세요.
- **14~20점** 교과 개념과 연관된 응용문제로 문제 적응력을 기르세요.
- **14점 미만** 틀린 문항과 관련된 교과 개념을 다시 공부하세요.

창의성
- **12점 이상** 보다 독창성 있는 아이디어를 내는 연습을 하세요.
- **8~11점** 다양한 관점의 아이디어를 더 내는 연습을 하세요.
- **8점 미만** 적절한 아이디어를 더 내는 연습을 하세요.

STEAM
- **10점 이상** 답안을 보다 구체적으로 작성하는 연습을 하세요.
- **7~9점** 문제 해결 방안의 아이디어를 다양하게 내는 연습을 하세요.
- **7점 미만** 실생활과 관련된 수학 기사로 수학적 사고를 확장하는 연습을 하세요.

과학 | 문항 구성 및 채점표

문항 \ 평가 영역	과학 사고력		과학 창의성		과학 STEAM	
	개념 이해력	탐구 능력	유창성	독창성	문제 파악 능력	문제 해결 능력
8	점					
9		점				
10	점					
11		점				
12			점	점		
13			점	점		
14					점	점

평가 영역별 점수	개념 이해력	탐구 능력	유창성	독창성	문제 파악 능력	문제 해결 능력
	과학 사고력		과학 창의성		과학 STEAM	
	/ 24점		/ 14점		/ 12점	

과학	총점	

● 평가 결과에 따른 학습 방향

사고력	21점 이상	정확하게 답안을 작성하는 연습을 하세요.
	14~20점	교과 개념과 연관된 응용문제로 문제 적응력을 기르세요.
	14점 미만	틀린 문항과 관련된 교과 개념을 다시 공부하세요.

창의성	12점 이상	보다 독창성 있는 아이디어를 내는 연습을 하세요.
	8~11점	다양한 관점의 아이디어를 더 내는 연습을 하세요.
	8점 미만	적절한 아이디어를 더 내는 연습을 하세요.

STEAM	10점 이상	답안을 보다 구체적으로 작성하는 연습을 하세요.
	7~9점	문제 해결 방안의 아이디어를 다양하게 내는 연습을 하세요.
	7점 미만	실생활과 관련된 과학 기사로 과학적 사고를 확장하는 연습을 하세요.

01 수학 **사고력**

관련 단원	5학년 1학기 6단원 다각형의 둘레와 넓이
평가 영역	개념 응용력

모범답안

(1) 16개

각 단계를 진행할 때마다 삼각형의 개수는 2배씩 늘어난다.

따라서 1 → 2 → 4 → 8 → 16으로 16개이다.

(2) 2 cm²

처음 주어진 도형의 넓이는 8×8÷2=32(cm²)이다.

16개로 나누어진 도형의 크기와 모양은 모두 같으므로 32÷16=2(cm²)이다.

해설

각 단계를 진행할 때마다 삼각형의 개수는 2배씩 늘어난다.

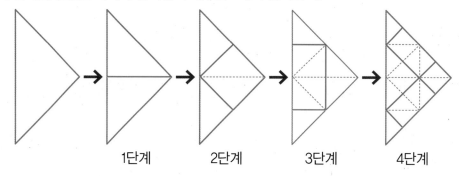

1단계   2단계   3단계   4단계

채점 기준   요소별 채점

개념 응용력 [6점] : 다각형의 넓이를 바르게 구할 수 있는가?

채점 요소	점수
(1)번을 바르게 구하고 풀이 과정을 바르게 서술한 경우	3점
(1)번을 바르게 구했지만 풀이 과정을 바르게 서술하지 않은 경우	1점
(2)번을 바르게 구하고 풀이 과정을 바르게 서술한 경우	3점
(2)번을 바르게 구했지만 풀이 과정을 바르게 서술하지 않은 경우	1점

02 수학 **사고력**

관련 단원	5학년 1학기 5단원 분수의 덧셈과 뺄셈
평가 영역	개념 이해력

모범답안

$$\frac{7}{12}=\frac{6}{12}+\frac{1}{12}=\frac{1}{2}+\frac{1}{12}$$

$$=\frac{4}{12}+\frac{3}{12}=\frac{1}{3}+\frac{1}{4}$$

$$=\frac{4}{12}+\frac{2}{12}+\frac{1}{12}=\frac{1}{3}+\frac{1}{6}+\frac{1}{12}$$

$$\frac{7}{12}=\frac{14}{24}=\frac{6}{24}+\frac{4}{24}+\frac{3}{24}+\frac{1}{24}=\frac{1}{4}+\frac{1}{6}+\frac{1}{8}+\frac{1}{24}$$

$$=\frac{14}{24}=\frac{8}{24}+\frac{3}{24}+\frac{2}{24}+\frac{1}{24}=\frac{1}{3}+\frac{1}{8}+\frac{1}{12}+\frac{1}{24}\ \text{등}$$

채점 기준 총체적 채점

개념 이해력 [6점] : 분수의 덧셈을 할 수 있는가?

적절한 아이디어의 수	점수
1가지를 바르게 서술한 경우	1점
2가지를 바르게 서술한 경우	2점
3가지를 바르게 서술한 경우	4점
4가지를 바르게 서술한 경우	6점

03 수학 **사고력**

관련 단원	6학년 1학기 5단원 여러 가지 그래프
평가 영역	개념 응용력

모범답안

5, 6, 14

해설

도서관으로 이동하기 위해 한 개의 선만 이용할 수 있으므로 가장 바깥쪽에 있는 1, 2, 3, 4, 9, 10, 13, 15, 16의 건물에서도 갈 수 있는 도서관의 위치를 찾는다.

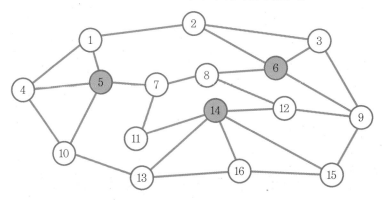

채점 기준 총체적 채점

개념 응용력 [6점] : 문제의 조건에 맞는 위치를 찾을 수 있는가?

적절한 아이디어의 수	점수
1곳의 위치를 바르게 찾은 경우	2점
2곳의 위치를 바르게 찾은 경우	4점
3곳의 위치를 바르게 찾은 경우	6점

04 수학 **사고력**

관련 단원	5학년 1학기 2단원 약수와 배수
평가 영역	개념 이해력

모범답안

* 방문한 날짜 : 2월 24일
* 각 그룹의 학생 수 : 2명, 3명, 4명

해설

2 이상의 서로 다른 세 자연수를 곱해 29 이하의 수가 되는 경우는 $2 \times 3 \times 4 = 24$이다.

24를 서로 다른 세 자연수의 곱으로 나타내는 경우는

$1 \times 2 \times 12$, $1 \times 3 \times 8$, $1 \times 4 \times 6$, $2 \times 3 \times 4$의 4가지이다.

따라서 방문한 날짜는 2월 24일, 각 그룹의 학생 수는 2명, 3명, 4명이다.

채점 기준   요소별 채점

개념 이해력 [6점] : 약수와 배수의 관계를 이해하고 있는가?

채점 요소	점수
방문한 날짜를 바르게 구한 경우	3점
각 그룹의 학생 수를 바르게 구한 경우	3점

05 수학 **창의성**

관련 단원	6학년 1학기 2단원 각기둥과 각뿔
평가 영역	유창성, 독창성

예시답안

① 꼭대기에서 긴 줄을 아래로 내려 길이를 직접 측정한다.

② 피사의 사탑과 적당한 거리가 떨어진 지점에 길이를 알고 있는 막대를 세우고 그림자의 길이를 이용하여 피사의 사탑의 높이를 계산한다.

③ 꼭대기에서 돌을 떨어뜨려 돌이 바닥까지 떨어지는 시간을 측정하여 돌의 속도 변화를 이용해 높이를 계산한다.

④ 한 층의 높이를 측정하여 기울지 않은 탑의 모형을 축소하여 만든다. 모형을 피사의 사탑과 같은 각도로 기울여 높이를 측정한 다음 축소한 비를 이용해 실제 높이를 계산한다.

⑤ 사진 속 한 층의 높이와 실제 한 층의 높이의 비를 구하고 사진 속의 높이와 닮음비를 이용해 높이를 구한다.

채점 기준   총체적 채점

유창성 [4점] : 적절한 아이디어를 얼마나 많이 찾았는가?

적절한 아이디어의 수	점수
1가지를 바르게 서술한 경우	1점
2가지를 바르게 서술한 경우	2점
3가지를 바르게 서술한 경우	4점

독창성 [3점] : 아이디어가 통계적으로 보아 얼마나 드물게 나타나고 또 특별한가?

채점 요소	점수
직접 높이를 측정한 경우를 바르게 서술한 경우	1점
수학적 원리나 과학적 원리를 이용하여 높이를 측정한 경우를 바르게 서술한 경우	3점

06 수학 **창의성**

관련 단원	5학년 1학기 3단원 규칙과 대응
평가 영역	유창성

예시답안

(1)

넣은 동전의 수	1	2	3	4	5	6
나온 사탕의 수	1	3	7	13	21	31

규칙 : 사탕의 수가 2, 4, 6, 8, 10,…으로 커진다.

(2)

①

넣은 동전의 수	1	2	3	4	5	6
나온 사탕의 수	1	3	7	15	31	63

규칙 : 2를 동전의 수만큼 곱한 후 1을 뺀 수만큼 사탕이 나온다.

②

넣은 동전의 수	1	2	3	4	5	6
나온 사탕의 수	1	3	7	9	13	15

규칙 : 넣은 동전의 수가 1개씩 늘어남에 따라 나오는 사탕의 수가 2, 4, 2, 4,…로 반복되어 늘어난다.

해설

(2) ① 규칙 : 2를 동전의 수만큼 곱한 값에 1을 뺀 수만큼 사탕이 나온다.

넣은 동전의 수	1	2	3	4	5	6
나온 사탕의 수	$2-1=1$	$(2\times2)-1=3$	$(2\times2\times2)-1=7$	$(2\times2\times2\times2)-1=15$	$(2\times2\times2\times2\times2)-1=31$	$(2\times2\times2\times2\times2\times2)-1=63$

채점 기준 요소별 채점

유창성 [7점] : 적절한 아이디어를 얼마나 많이 찾았는가?

적절한 아이디어의 수	점수
(1)의 규칙을 바르게 서술한 경우	2점
(2)의 규칙 1가지를 바르게 서술한 경우	2점
(2)의 규칙 2가지를 바르게 서술한 경우	5점

07 수학 STEAM

관련 단원	5학년 2학기 6단원 평균과 가능성
평가 영역	문제 파악 능력, 문제 해결 능력

(1)
모범답안

28가지

각 점을 다음과 같이 번호를 정하면

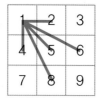 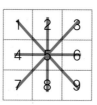

1, 3, 7, 9번에서 시작해 그릴 수 있는 패턴은 각각 5가지,

2, 4, 6, 8번에서 시작해 그릴 수 있는 패턴은 각각 7가지,

5번에서 시작해 그릴 수 있는 패턴은 8가지이고

같은 모양의 패턴에 순서가 반대인 것이 2개씩 있으므로

$(5 \times 4 + 7 \times 4 + 8) \div 2 = 56 \div 2 = 28$(가지)이다.

해설

1번과 3번, 1번과 7번, 1번과 9번을 선분으로 연결하는 경우는 각각 2번, 4번, 5번을 지나야 하고, 2번과 8번을 선분으로 연결하는 경우는 5번을 지나야 하므로 두 점을 연결한다는 문제의 조건에 맞지 않는다.

채점 기준 요소별 채점

문제 파악 능력 [4점] : 문제에서 주어진 조건에 알맞은 경우를 모두 찾을 수 있는가?

채점 요소	점수
패턴의 가지 수를 바르게 구한 경우	2점
풀이 과정을 바르게 서술한 경우	2점

(2)

28가지

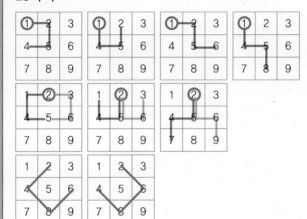

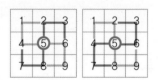

1, 3, 7, 9번에서 시작해 그릴 수 있는 패턴은 각각 4가지,

2, 4, 6, 8번에서 시작해 그릴 수 있는 패턴은 각각 6가지,

5번에서 시작해 그릴 수 있는 패턴은 8가지,

2, 4, 6, 8에서 시작해 그릴 수 있는 패턴은 각각 2가지이다.

같은 모양의 패턴에 순서가 반대인 것이 2개씩 있으므로

$\{(4×4)+(4×6)+8+(4×2)\}÷2=28$(가지)이다.

선분이 3개, 직각이 2개 있는 잠금 패턴은 ㄷ 모양과 ㄱ 모양이다. 연결 방향은 생각하지 않으므로 같은 모양의 패턴은 1가지로 본다.

요소별 채점

문제 해결 능력 [8점] : 조건에 맞는 모든 패턴을 찾을 수 있는가?

채점 요소	점수
패턴의 가지 수를 바르게 구한 경우	4점
풀이 과정을 바르게 서술한 경우	4점

08 과학 **사고력**

관련 단원	6학년 2학기 4단원 우리 몸의 구조와 기능
평가 영역	개념 이해력

모범답안

* 좋은 점 : 표면적이 넓어져 영양분을 효과적으로 흡수할 수 있다.
* 이용된 예
  ① 뇌의 주름
  ② 허파꽈리(폐포)
  ③ 냉장고 뒷면의 방열판
  ④ 머리 말리개(헤어 드라이어)나 전기난로의 니크롬선
  ⑤ 자동차의 라디에이터
  ⑥ 식물의 뿌리털
  ⑦ 수건
  ⑧ 모세혈관

해설

융털은 소장 안쪽 벽에 털처럼 아주 작게 돋아 있는 것으로, 음식물과 닿는 면적을 넓게 해 영양소를 효율적으로 흡수한다.

채점 기준   요소별 채점

개념 이해력 [6점] : 소장 안쪽 벽의 융털 구조에 대해서 이해하고, 이와 관련된 예를 찾을 수 있는가?

채점 요소	점수
융털 구조의 좋은 점을 바르게 서술한 경우	2점
원리가 이용된 예 1~2가지를 바르게 서술한 경우	1점
원리가 이용된 예 3가지를 바르게 서술한 경우	2점
원리가 이용된 예 4가지를 바르게 서술한 경우	3점
원리가 이용된 예 5가지를 바르게 서술한 경우	4점

09 과학 **사고력**

관련 단원	5학년 1학기 4단원 용해와 용액
평가 영역	탐구 능력

모범답안

① 증발시킨다. 소금물이 증발하면 소금만 남기 때문이다.

② 100 ℃보다 높은 온도에서 액체가 끓는지 확인한다. 소금물은 100 ℃보다 높은 온도에서 끓기 때문이다.

③ 무게가 125 g인지 확인한다. 물 100 g에 소금 25 g이 용해되면 소금물의 무게는 125 g이 되기 때문이다.

④ 전류가 흐르는지 확인한다. 소금물은 전류가 잘 흐르기 때문이다.

해설

소금물은 증발시키면 소금이 남고, 100 ℃보다 높은 온도에서 끓는다. 또한, 물에 소금을 녹였다면 원래 물의 무게에 소금을 합한 만큼의 무게로 늘어난다.

채점 기준　요소별 채점

탐구 능력 [6점] : 물과 소금물을 구별할 수 있는 방법을 알고 있는가?

채점 요소	점수
방법과 이유를 바르게 서술한 경우 1가지당	3점
방법을 서술하였지만 이유가 바르지 않은 경우 1가지당	1점

⑩ 과학 사고력

관련 단원	5학년 2학기 3단원 날씨와 우리 생활
평가 영역	개념 이해력

모범답안

* 이유 : 공기 중의 수증기가 차가운 유리컵 표면에 닿아 응결하여 생긴 것이다.
* 생활 속의 예
  ① 목욕탕 천장에 물방울이 맺힌다.
  ② 비 오는 날 유리창에 김이 서린다.
  ③ 따뜻한 물로 샤워하면 거울에 김이 서린다.
  ④ 겨울철 실내에 들어오면 안경에 김이 서린다.
  ⑤ 차가운 음료수를 담은 유리컵 표면이 뿌옇게 흐려진다.
  ⑥ 냉장고에서 꺼낸 음료수병의 표면에 물방울이 생긴다.
  ⑦ 추운 겨울날 따뜻한 실내로 들어오면 안경이 뿌옇게 흐려진다.
  ⑧ 겨울에 숨을 내쉴 때마다 입김이 뿌옇게 나온다.

해설

온도가 낮아지면 공기가 포함할 수 있는 수증기의 양이 줄어든다. 따라서 찬 물체 근처의 공기 온도가 내려가면, 공기가 포함할 수 있는 최대 수증기량 이상의 수증기가 찬 물체 표면에 응결하여 물방울로 맺힌다. 이것을 이슬이라고 한다.

채점 기준 요소별 채점

개념 이해력 [6점] : 공기 중의 수증기가 물방울이 되는 조건을 이해하고 있는가?

채점 요소	점수
유리컵 표면에 물방울이 생기는 이유를 바르게 서술한 경우	3점
생활 속의 예 1가지를 바르게 서술한 경우	1점
생활 속의 예 2가지를 바르게 서술한 경우	2점
생활 속의 예 3가지를 바르게 서술한 경우	3점

11 과학 **사고력**

관련 단원	6학년 1학기 3단원 여러 가지 기체
평가 영역	탐구 능력

모범답안

* 원인이 되는 기체 : 이산화 탄소
* 줄일 수 있는 방법
  ① 나무를 많이 심는다. 숲을 가꾼다. 농작물을 재배한다.
  ② 대체 에너지를 개발한다.
  ③ 화석 연료의 사용량을 줄인다.
  ④ 육식을 줄이고 채식을 많이 한다.

해설

지구 온난화란 지구의 평균 기온이 상승하는 현상으로, 폭설, 태풍, 집중호우, 가뭄 등 기상 이변을 일으키고 해수면을 상승 시켜 여러 가지 문제를 일으킨다. 이산화 탄소의 증가는 지구 온난화의 주된 원인으로 알려져 있다. 공기 중의 이산화 탄소가 온실 유리처럼 작용하여 지구 표면의 온도를 높이기 때문이다. 이산화 탄소는 화석 연료를 태우거나 동물이 호흡할 때 주로 발생하므로, 이산화 탄소의 발생량을 줄이기 위해서는 화석 연료의 사용량을 줄이거나 육식을 줄이고 채식 위주의 생활을 하는 것이 좋다. 또한, 나무를 심어 식물의 광합성을 통해 이산화 탄소의 양을 줄인다.

채점 기준 요소별 채점

탐구 능력 [6점] : 지구 온난화의 주요 원인인 이산화 탄소를 줄일 수 있는 방법을 알고 있는가?

채점 요소	점수
원인이 되는 기체로 이산화 탄소를 서술한 경우	2점
방법 1가지를 바르게 서술한 경우	1점
방법 2가지를 바르게 서술한 경우	2점
방법 3가지를 바르게 서술한 경우	3점
방법 4가지를 바르게 서술한 경우	4점

12 과학 **창의성**

관련 단원	6학년 2학기 4단원 우리 몸의 구조와 기능
평가 영역	유창성, 독창성

예시답안

① 코 : 미세한 냄새까지 맡을 수 있도록 콧구멍이 커지고 후각이 매우 발달할 것이다.
② 귀 : 작은 소리까지 들을 수 있도록 귓바퀴가 커지고 청각이 발달할 것이다.
③ 피부 : 작은 자극도 느낄 수 있도록 온몸에 감각점이 많아질 것이다.
④ 팔 : 앞에 장애물이 있는지 확인할 수 있도록 더듬이처럼 길어질 것이다.
⑤ 다리 : 빠르게 다니지 못하므로 짧아질 것이다.

해설

어두운 환경에서는 눈보다 청각이나 피부 감각이 발달할 것이다.

채점 기준   요소별 채점

유창성 [5점] : 적절한 아이디어를 얼마나 많이 찾았는가?

채점 요소	점수
기관별 변화를 이유와 함께 바르게 서술한 경우 1가지당	1점
기관별 변화를 서술하였지만 이유가 바르지 않은 경우 1가지당	0.5점

독창성 [2점] : 아이디어가 통계적으로 보아 얼마나 드물게 나타나고 또 특별한가?

채점 요소	점수
모양 변화없이 기능이 더 발달할 것이라고만 서술한 경우	1점
모양 변화를 바르게 서술한 경우	2점

⑬ 과학 **창의성**

관련 단원	6학년 1학기 3단원 여러 가지 기체
평가 영역	유창성, 독창성

예시답안

① 불이 쉽게 날 것이다. 불이 잘 꺼지지 않을 것이다.

② 철이 빨리 녹슬 것이다.

③ 운동 능력이 좋아질 것이다. 운동을 해도 숨이 많이 차지 않을 것이다.

④ 음식이 빨리 부패할 것이다.

⑤ 세포가 빨리 노화될 것이다.

⑥ 적혈구의 수가 줄어들 것이다.

⑦ 호흡수가 줄어들 것이다.

⑧ 연료가 완전 연소하므로 효율이 높아지고 대기 오염 물질이 덜 생길 것이다.

해설

세포가 산소와 결합하면 노화된다. 대기 중 산소의 양이 2배 정도 증가하면 노화 속도도 2배 빨라질 것이다.

채점 기준 총체적 채점

유창성 [5점] : 적절한 아이디어를 얼마나 많이 찾았는가?

적절한 아이디어의 수	점수
1가지를 바르게 서술한 경우	1점
2가지를 바르게 서술한 경우	2점
3가지를 바르게 서술한 경우	3점
4가지를 바르게 서술한 경우	4점
5가지를 바르게 서술한 경우	5점

독창성 [2점] : 아이디어가 통계적으로 보아 얼마나 드물게 나타나고 또 특별한가?

채점 요소	점수
물질의 연소에 관해서 바르게 서술한 경우	1점
물질의 연소 외 금속의 산화, 생물의 호흡, 노화 등에 관해서 바르게 서술한 경우	2점

14 과학 STEAM

관련 단원	6학년 1학기 5단원 빛과 렌즈, 6학년 2학기 3단원 연소와 소화
평가 영역	문제 파악 능력, 문제 해결 능력

(1)

모범답안

물이 담긴 투명한 생수병은 볼록 렌즈 모양이므로 햇빛이 비치면 열이 한 곳으로 집중되어 불이 붙을 수 있다.

해설

돋보기로 태양열을 모으면 종이가 타는 것처럼, 둥글고 투명한 생수병이 볼록 렌즈 역할을 해서 불이 붙는다. 이때 투명한 페트병 표면의 온도는 300 ℃까지 올라가고, 주변에 낙엽처럼 잘 타는 물건이 있으면 금세 불이 옮겨붙어 대형 화재로 번진다. 생수병뿐 아니라 어항, 부탄가스병 바닥, 믹싱볼처럼 오목한 물체도 빛을 모을 수 있어 불이 붙을 수 있다.

채점 기준　요소별 채점

문제 파악 능력 [4점] : 생수병에 담긴 물의 모양과 빛의 경로를 알고 있는가?

채점 요소	점수
생수병에 담긴 물이 둥근 모양이라고 서술한 경우	2점
생수병에 담긴 둥근 물이 빛을 모은다고 서술한 경우	2점

(2)

① 초기의 작은 산불은 외투 등으로 두드리거나 덮어서 진화한다.

② 산불 발생 지역에서 멀리 떨어진 논, 밭, 공터 등 안전지대로 신속히 대피한다.

③ 바람을 등지고 주변의 낙엽, 나뭇가지 등 탈 물질을 제거한 후 낮은 자세로 엎드려 구조를 기다린다.

④ 산불은 바람이 불어가는 쪽으로 확산되므로 바람 반대 방향으로 대피한다.

⑤ 산불보다 높은 위치를 피하고 복사열로부터 멀리 떨어져 있는다.

⑥ 낮은 지대, 탈 물질이 적은 지역, 도로, 바위 뒤 등으로 대피한다.

⑦ 불씨가 집이나 창고 시설물로 옮겨붙지 못하도록 집 주위에 물을 뿌린다.

⑧ 폭발성과 인화성이 높은 가스통이나 휘발성 가연 물질을 치운다.

채점 기준 총체적 채점

문제 해결 능력 [8점] : 문제점을 해결할 수 있는 방법을 고안했는가?

적절한 아이디어의 수	점수
1가지를 바르게 서술한 경우	2점
2가지를 바르게 서술한 경우	5점
3가지를 바르게 서술한 경우	8점

모의고사 **3**회 평가 가이드

「창의적 문제해결력」 모의고사  4회

평가 가이드

① 수학·과학 문항 **구성** 및 **채점표**

② 문항별 채점 기준

평가 영역 문항	수학 사고력		수학 창의성		수학 STEAM	
	개념 이해력	개념 응용력	유창성	독창성	문제 파악 능력	문제 해결 능력
1		점				
2	점					
3	점					
4		점				
5			점			
6			점	점		
7					점	점

평가 영역별 점수	개념 이해력	개념 응용력	유창성	독창성	문제 파악 능력	문제 해결 능력
	수학 사고력		수학 창의성		수학 STEAM	
	/ 24점		/ 14점		/ 12점	

수학		총점	

● 평가 결과에 따른 학습 방향

사고력	21점 이상	정확하게 답안을 작성하는 연습을 하세요.
	14~20점	교과 개념과 연관된 응용문제로 문제 적응력을 기르세요.
	14점 미만	틀린 문항과 관련된 교과 개념을 다시 공부하세요.

창의성	12점 이상	보다 독창성 있는 아이디어를 내는 연습을 하세요.
	8~11점	다양한 관점의 아이디어를 더 내는 연습을 하세요.
	8점 미만	적절한 아이디어를 더 내는 연습을 하세요.

STEAM	10점 이상	답안을 보다 구체적으로 작성하는 연습을 하세요.
	7~9점	문제 해결 방안의 아이디어를 다양하게 내는 연습을 하세요.
	7점 미만	실생활과 관련된 수학 기사로 수학적 사고를 확장하는 연습을 하세요.

과학 | 문항 구성 및 채점표

평가 영역 문항	과학 사고력		과학 창의성		과학 STEAM	
	개념 이해력	탐구 능력	유창성	독창성	문제 파악 능력	문제 해결 능력
8	점					
9		점				
10	점					
11		점				
12			점	점		
13			점	점		
14					점	점

평가 영역별 점수	개념 이해력	탐구 능력	유창성	독창성	문제 파악 능력	문제 해결 능력
	과학 사고력		과학 창의성		과학 STEAM	
	/ 24점		/ 14점		/ 12점	

수학	총점

● 평가 결과에 따른 학습 방향

사고력
21점 이상	정확하게 답안을 작성하는 연습을 하세요.
14~20점	교과 개념과 연관된 응용문제로 문제 적응력을 기르세요.
14점 미만	틀린 문항과 관련된 교과 개념을 다시 공부하세요.

창의성
12점 이상	보다 독창성 있는 아이디어를 내는 연습을 하세요.
8~11점	다양한 관점의 아이디어를 더 내는 연습을 하세요.
8점 미만	적절한 아이디어를 더 내는 연습을 하세요.

STEAM
10점 이상	답안을 보다 구체적으로 작성하는 연습을 하세요.
7~9점	문제 해결 방안의 아이디어를 다양하게 내는 연습을 하세요.
7점 미만	실생활과 관련된 과학 기사로 과학적 사고를 확장하는 연습을 하세요.

01 수학 **사고력**

관련 단원	5학년 1학기 3단원 규칙과 대응
평가 영역	개념 응용력

모범답안

유형	1	2	3	4
종류				
개수	7+7+7=21	3+3+3+3+3+3=18	1+1+1+1+1+1=6	1+1+1=3
합계	48개			

해설

① 유형 1

△ : 1+2+3+1=7

▽ : 1+2+3+1=7

◇ : 1+2+3+1=7

② 유형 2

: 1+2=3

: 1+2=3

: 1+2=3

: 1+2=3

: 1+2=3

: 1+2=3

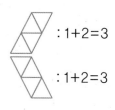

채점 기준 요소별 채점

개념 응용력 [6점] : 주어진 도형에서 다양한 크기의 평행사변형을 찾을 수 있는가?

채점 요소	점수
유형별 평행사변형의 종류를 바르게 그린 경우	2점
평행사변형 각 종류별 개수를 바르게 구한 경우	3점
평행사변형의 총 개수를 바르게 구한 경우	1점

02 수학 **사고력**

관련 단원	5학년 1학기 6단원 다각형의 둘레와 넓이
평가 영역	개념 이해력

모범답안

$76\,\text{cm}^2$

종이 두 장 둘레 합 : $(12+4)\times2\times2=64(\text{cm})$

점선으로 된 마름모 한 변의 길이 : $(64-44)\div4=5(\text{cm})$

직사각형 종이 한 장에서 마름모를 뺀 넓이 : $(12-5)\times4=28(\text{cm}^2)$

도형의 넓이 : $(12\times4)+28=76(\text{cm}^2)$

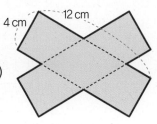

해설

마름모는 네 변으로 이루어진 사각형 중에서 네 변의 길이가 모두 같은 사각형이다.

직사각형 종이 한 장에서 마름모를 뺀 도형은 직사각형과 같다.

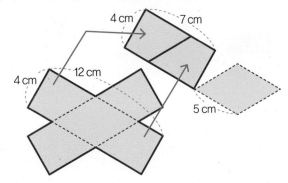

채점 기준   요소별 채점

개념 이해력 [6점] : 마름모의 특징을 알고 있는가?

채점 요소	점수
마름모 한 변의 길이를 바르게 구한 경우	2점
직사각형 종이 한 장에서 마름모를 뺀 넓이를 바르게 구한 경우	2점
도형의 넓이를 바르게 구한 경우	2점

03 수학 **사고력**

관련 단원	5학년 1학기 5단원 분수의 덧셈과 뺄셈
평가 영역	개념 이해력

모범답안

분수로 통일한 후 분모를 통분하여 나타낸다.

한 줄의 합 $=\dfrac{4}{8}+\dfrac{3}{8}+\dfrac{8}{8}=\dfrac{15}{8}$ 이다.

아래 순서대로 답을 구할 수 있다. (분수는 약분하여 나타낸다.)

	$1\dfrac{1}{8}$	0.5
		$\dfrac{3}{8}$
		1

$\dfrac{2}{8}$	$\dfrac{9}{8}$	$\dfrac{4}{8}$
$\dfrac{7}{8}$	$\dfrac{5}{8}$	$\dfrac{3}{8}$
$\dfrac{6}{8}$	$\dfrac{1}{8}$	$\dfrac{8}{8}$

$\dfrac{1}{4}$	$\dfrac{9}{8}$	$\dfrac{4}{8}$
$\dfrac{7}{8}$	$\dfrac{5}{8}$	$\dfrac{3}{8}$
$\dfrac{3}{4}$	$\dfrac{1}{8}$	$\dfrac{8}{8}$

해설

소수인 경우 합 $=0.5+0.375+1=1.875$ 이다.

0.25	1.125	0.5
0.875	0.625	0.375
0.75	0.125	1

채점 기준　요소별 채점

개념 이해력 [6점] : 분수와 소수 계산을 할 수 있는가?

채점 요소	점수
한 줄의 합을 바르게 구한 경우	2점
빈 칸에 분수 또는 소수를 바르게 채운 경우	4점

04 수학 **사고력**

관련 단원	5학년 1학기 3단원 규칙과 대응
평가 영역	개념 응용력

모범답안

4번

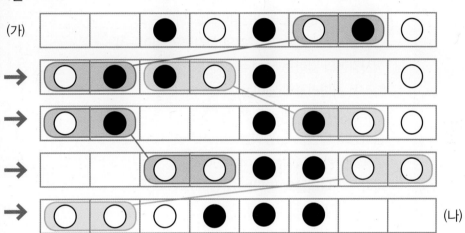

해설

흰 바둑돌과 검은 바둑돌이 연속해서 배열되도록 바둑돌을 2개씩 이동시킨다.

채점 기준   요소별 채점

개념 응용력 [6점] : 바둑돌을 움직여 문제의 조건에 맞도록 배열할 수 있는가?

채점 요소	점수
최소 이동 횟수를 바르게 구한 경우	3점
이동 과정을 바르게 나타낸 경우	3점

05 수학 **창의성**

관련 단원	5학년 1학기 6단원 다각형의 둘레와 넓이
평가 영역	유창성

예시답안

① 2개의 삼각형과 1개의 직사각형으로 나눈다.

　삼각형의 밑변은 1, 높이는 4이므로 넓이는 2,

　삼각형이 2개 있으므로 2개의 삼각형의 넓이는 4,

　직사각형의 넓이는 5×4=20이다.

　따라서 사다리꼴의 넓이는 24 cm²이다.

② 1개의 삼각형과 1개의 평행사변형으로 나눈다.

　삼각형의 밑변은 2, 높이는 4이므로 넓이는 4,

　평행사변형의 넓이는 5×4=20이다.

　따라서 사다리꼴의 넓이는 24 cm²이다.

③ 2개의 삼각형으로 나눈다.

　아래쪽 삼각형의 밑변은 7, 높이는 4이므로 넓이는 14,

　위쪽 삼각형의 밑변은 5, 높이는 4이므로 넓이는 10,

　따라서 사다리꼴의 넓이는 24 cm²이다.

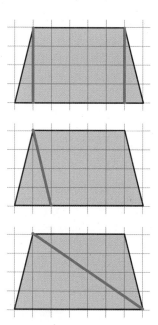

채점 기준　총체적 채점

유창성 [7점] : 적절한 아이디어를 얼마나 많이 찾았는가?

적절한 아이디어의 수	점수
1가지를 바르게 서술한 경우	1점
2가지를 바르게 서술한 경우	3점
3가지를 바르게 서술한 경우	7점

06 수학 **창의성**

관련 단원	5학년 1학기 5단원 분수의 덧셈과 뺄셈
평가 영역	유창성, 독창성

예시답안

(1)

① 1	② $\frac{6}{8}=\frac{3}{4}$	③ $\frac{4}{8}=\frac{1}{2}$	④ $\frac{4}{8}=\frac{1}{2}$	⑤ $\frac{3}{8}$	⑥ $\frac{2}{8}=\frac{1}{4}$	⑦ $\frac{1}{8}$

(2)

정답	뺄셈식	사용한 블록 번호
$\frac{1}{4}$	$1-\frac{1}{2}-\frac{1}{4}=\frac{1}{4}$	①, ③, ⑥
$\frac{1}{8}$	$\frac{3}{4}-\frac{3}{8}-\frac{1}{4}=\frac{1}{8}$	②, ⑤, ⑥
0	$1-\frac{1}{2}-\frac{3}{8}-\frac{1}{8}=0$	①, ④, ⑤, ⑦

해설

8개의 원을 가진 블록이 1이므로 각 분수의 분모를 8로 구한다.

채점 기준 요소별 채점

유창성 [5점] : 적절한 아이디어를 얼마나 많이 찾았는가?

채점 요소	점수
블록의 크기를 분수로 모두 바르게 나타낸 경우	2점
뺄셈식이 바른 경우 1가지당	1점

독창성 [2점] : 아이디어가 통계적으로 보아 얼마나 드물게 나타나고 또 특별한가?

채점 요소	점수
3가지 다른 블록을 이용하여 뺄셈식을 바르게 만든 경우	1점
4가지 이상의 다른 블록을 이용하여 뺄셈식을 바르게 만든 경우	2점

07 수학 STEAM

관련 단원	6학년 2학기 6단원 원기둥, 원뿔, 구
평가 영역	문제 파악 능력, 문제 해결 능력

(1) ▶ 예시답안

① 강아지 집의 크기, 강아지 집에 들어갈 수 있는 크기
② 강아지가 물을 먹는 정도, 양, 횟수
③ 예산, 물그릇을 살 수 있는 금액
④ 물그릇의 재질
⑤ 물그릇의 모양

▶ 해설

강아지 집 안에 넣을 물그릇을 살 때 크기, 재질, 금액, 모양 등을 고려해야 한다.

▶ 채점 기준 총체적 채점

문제 파악 능력 [4점] : 물그릇을 살 때 고려해야 할 사항을 찾을 수 있는가?

적절한 아이디어의 수	점수
고려해야 할 사항으로 바른 것 1가지당	1점

(2)

예시답안

① 선택한 물그릇 종류 : (가)

선택한 이유 : (가)는 세 개 중 부피가 가장 커서 강아지 집에 들여놓기는 어려우나, 들이 커서 담을 수 있는 물의 양이 많기 때문이다.

② 선택한 그릇 종류 : (나)

선택한 이유 : (나)는 (가)보다 들이가 작아 담을 수 있는 물의 양이 적지만 부피가 작아 좁은 강아지 집에 적합하고, (다)보다는 담을 수 있는 물의 양이 많기 때문이다.

③ 선택한 물그릇 종류 : (다)

선택한 이유 : 물통 (다)는 세 개 중 들이가 가장 작아 담을 수 있는 물의 양이 적지만, 부피가 가장 작아서 좁은 강아지 집에 적합하기 때문이다.

해설

(가)~(다) 중 어떤 물그릇을 선택해도 상관없지만 선택한 이유를 부피와 들이의 단어를 사용하여 타당하게 서술해야 한다.

채점 기준 요소별 채점

문제 해결 능력 [8점] : 문제점을 해결할 수 있는 아이디어를 고안했는가?

채점 요소	점수
물그릇 (가)~(다) 중 한 가지를 선택한 경우	1점
부피와 들이를 이용해 이유를 바르게 서술한 경우	7점

08 과학 **사고력**

관련 단원	5학년 2학기 4단원 물체의 운동
평가 영역	개념 이해력

모범답안

62초

496 m÷8 m/s=62(초)

해설

(걸린 시간)＝(이동 거리)÷(평균 속력)으로 구한다. 스카이서울 엘리베이터는 최장 수송 거리와 가장 빠른 더블데크 엘리베이터(엘리베이터 2개가 위아래로 붙은 형태)로 2017년 기네스 월드 레코드에 등재됐다. 496 m를 최고 속도 10m/s로 운행하는데 귀가 웅웅거리다 점점 먹먹해진다.

채점 기준 요소별 채점

개념 이해력 [6점] : 이동 거리와 속력으로 걸린 시간을 구할 수 있는가?

채점 요소	점수
걸린 시간을 바르게 구한 경우	3점
풀이 과정을 바르게 서술한 경우	3점

09 과학 **사고력**

관련 단원	5학년 1학기 3단원 태양계와 별
평가 영역	탐구 능력

예시답안

위성이 있는 행성	위성이 없는 행성
지구, 화성, 목성, 토성, 천왕성, 해왕성	수성, 금성

물에 가라앉는 행성	물에 뜨는 행성
수성, 금성, 지구, 화성, 목성, 천왕성, 해왕성	토성

지구의 반지름을 1로 했을 때 반지름이 1 이하인 행성	지구의 반지름을 1로 했을 때 반지름이 1보다 큰 행성
수성, 금성, 지구, 화성	목성, 토성, 천왕성, 해왕성

지구의 질량을 1로 했을 때 질량이 1 이하인 행성	지구의 질량을 1로 했을 때 질량이 1보다 큰 행성
수성, 금성, 지구, 화성	목성, 토성, 천왕성, 해왕성

태양으로부터 지구까지의 거리를 1로 했을 때 태양까지의 거리가 5 이하인 행성	태양으로부터 지구까지의 거리를 1로 했을 때 태양까지의 거리가 5보다 큰 행성
수성, 금성, 지구, 화성	목성, 토성, 천왕성, 해왕성

반지름과 질량이 지구와 같거나 작은 행성	반지름과 질량이 지구보다 큰 행성
수성, 금성, 지구, 화성	목성, 토성, 천왕성, 해왕성

해설

분류 기준은 누가 분류하더라도 같은 결과가 나올 수 있도록 객관적이어야 한다.

채점 기준 총체적 채점

탐구 능력 [6점] : 태양계의 행성들을 다양한 기준으로 분류할 수 있는가?

적절한 아이디어의 수	점수
분류 기준과 행성 분류 결과가 바른 경우 1가지당	2점

⑩ 과학 **사고력**

관련 단원	6학년 2학기 5단원 에너지와 생활
평가 영역	개념 이해력

모범답안

화학 에너지 → 운동 에너지 → 위치 에너지 → 운동 에너지

해설

사람이 먹은 음식 속의 화학 에너지 중 일부는 몸을 만드는 데 쓰이고, 일부는 근육에 저장된다. 미끄럼틀 위로 올라갈 때는 근육에 저장된 화학 에너지가 운동 에너지로 전환된 후 위치 에너지로 전환된다. 미끄럼틀 위에서 내려오면 위치 에너지가 운동 에너지로 전환된다.

채점 기준　요소별 채점

개념 이해력 [6점] : 미끄럼을 타고 내려올 때 우리 몸의 에너지 전환 과정을 이해하고 있는가?

채점 요소	점수
한 번의 에너지 전환 과정을 바르게 서술한 경우	2점
두 번의 에너지 전환 과정을 바르게 서술한 경우	4점
세 번의 에너지 전환 과정을 바르게 서술한 경우	6점

11 과학 **사고력**

관련 단원	6학년 2학기 3단원 연소와 소화
평가 영역	탐구 능력

모범답안

* (가) : 푸른색 염화 코발트 종이가 붉은색으로 변하고 석회수가 뿌옇게 흐려진다. 이를 통해 양초는 연소 후 물과 이산화 탄소가 생긴다는 것을 알 수 있다.
* (나) : 푸른색 염화 코발트 종이와 석회수의 변화가 없다. 이를 통해 철솜은 연소 후 물과 이산화 탄소가 생기지 않는다는 것을 알 수 있다.

해설

탄소와 수소를 포함한 물질은 연소하면 산소와 결합하여 물과 이산화 탄소가 생성되고, 공기 중에 섞이기 때문에 눈으로 쉽게 확인하기 어렵다. 탄소와 수소를 포함하지 않은 철은 연소할 때는 산소와 결합하여 검은색 산화 철이 만들어진다. 모든 물질이 연소하면 이산화 탄소와 물이 생성되지 않는다.

채점 기준 요소별 채점

탐구 능력 [6점] : 연소 실험 과정을 통해 연소 후 생성물을 예상할 수 있는가?

채점 요소	점수
(가)의 푸른색 염화 코발트 종이와 석회수의 변화를 바르게 서술한 경우	2점
(가)의 연소 후 생성물로 알 수 있는 사실을 바르게 서술한 경우	1점
(나)의 푸른색 염화 코발트 종이와 석회수의 변화를 바르게 서술한 경우	2점
(나)의 연소 후 생성물로 알 수 있는 사실을 바르게 서술한 경우	1점

⑫ 과학 **창의성**

관련 단원	6학년 2학기 1단원 전기의 이용
평가 영역	유창성, 독창성

예시답안

① 전지 여러 개를 직렬로 연결한다.
② 에나멜선을 촘촘하게 여러 번 감는다.
③ 철로 된 물체에 에나멜선을 감는다.
④ 굵은 에나멜선을 감는다.

해설

간단한 전자석은 철심 주위를 전선으로 여러 겹 감아 만들 수 있다. 전자석은 전류가 흐르는 동안에만 자석의 성질이 나타나고 전선에 흐르는 전류의 방향을 바꾸면 극을 바꿀 수 있다.

채점 기준   총체적 채점

유창성 [5점] : 적절한 아이디어를 얼마나 많이 찾았는가?

적절한 아이디어의 수	점수
1가지를 바르게 서술한 경우	1점
2가지를 바르게 서술한 경우	3점
3가지를 바르게 서술한 경우	5점

독창성 [2점] : 아이디어가 통계적으로 보아 얼마나 드물게 나타나고 또 특별한가?

채점 요소	점수
전지의 개수와 에나멜선을 변화시킨 경우	1점
철심을 변화시킨 경우	2점

⑬ 과학 창의성

관련 단원	6학년 2학기 2단원 계절의 변화, 5학년 1학기 2단원 온도와 열
평가 영역	유창성, 독창성

예시답안

① 처마는 여름에 큰 각도로 비추는 햇빛은 막아 더위를 막고, 겨울에 낮게 비추는 햇빛은 집안 깊숙이 들어오도록 하여 따뜻하게 한다.

② 마루는 바닥을 지면과 떨어뜨려 더운 여름에 통풍이 잘되도록 한다.

③ 바닥의 온돌은 천천히 식기 때문에 겨울에 오랫동안 방안을 따뜻하게 한다.

④ 한여름에 마당이 가열되면 마당의 공기는 저기압이 되고 뒤쪽에서 마당으로 바람이 불어 시원하다.

⑤ 창문을 남동 방향으로 만들어 여름에는 남동풍이 불어 시원하고, 겨울에는 차가운 북서풍을 막아준다.

⑥ 문에 바른 창호지는 온도와 습도를 일정하게 조절해준다.

⑦ 주재료인 나무와 황토는 온도와 습도를 일정하게 조절해 주고, 단열이 잘 되어 여름에 시원하고 겨울에 따뜻하다.

해설

처마는 한옥의 지붕으로 벽보다 조금 더 밖으로 나와 있다.

채점 기준 　총체적 채점

유창성 [5점] : 적절한 아이디어를 얼마나 많이 찾았는가?

적절한 아이디어의 수	점수
1가지를 바르게 서술한 경우	1점
2가지를 바르게 서술한 경우	3점
3가지를 바르게 서술한 경우	5점

독창성 [2점] : 아이디어가 통계적으로 보아 얼마나 드물게 나타나고 또 특별한가?

채점 요소	점수
처마의 원리를 태양 고도와 관련지어 바르게 서술한 경우	1점
온돌이나 마루의 원리를 바르게 서술한 경우	2점

14 과학 STEAM

관련 단원	6학년 2학기 5단원 에너지와 생활
평가 영역	문제 파악 능력, 문제 해결 능력

(1)

예시답안

① 에너지 자원은 양이 한정되어 있어서 언젠가는 고갈되기 때문이다.

② 우리나라는 에너지 자원(석탄, 석유, 천연가스 등) 대부분을 수입하기 때문이다.

③ 에너지가 없으면 TV, 컴퓨터, 자동차 등을 사용할 수 없어 매우 불편하기 때문이다.

④ 인위적으로 에너지를 만들려면 환경이 파괴되기 때문이다.

⑤ 대체 에너지를 개발할 시간이 필요하기 때문이다.

해설

에너지를 이용하면 없어지지 않고 여러 다른 형태의 에너지로 전환된다. 에너지는 한 형태에서 다른 형태로 전환될 뿐 새로 생성되거나 소멸되지 않는다. 이를 에너지 보존 법칙이라고 한다. 그러나 에너지가 다른 에너지로 전환될 때 에너지 전환 방향에 제약이 있다. 운동 에너지나 전기 에너지는 모두 열에너지로 바뀔 수 있지만 열에너지는 일부만 운동 에너지, 위치 에너지, 전기 에너지 등으로 바뀔 수 있다. 열에너지 전체를 다른 형태의 에너지로 완전히 바꾸는 것은 불가능하다. 따라서 에너지를 이용할수록 사용할 수 있는 형태의 에너지양이 줄어들므로 에너지가 부족해진다. 그러므로 에너지를 효율적으로 사용하고자 하는 지속적인 노력이 필요하다.

채점 기준 총체적 채점

문제 파악 능력 [4점] : 에너지를 절약해야 하는 이유를 알고 있는가?

적절한 아이디어의 수	점수
1가지를 바르게 서술한 경우	1점
2가지를 바르게 서술한 경우	2점
3가지를 바르게 서술한 경우	4점

(2)

① 에어컨 사용으로 실내온도를 낮추는 데 많은 전기 에너지가 소비되므로 여름철 적정 냉방 온도 26~28 ℃를 지켜 사용한다.

② 에어컨 사용 시 많은 전기 에너지가 소비되므로 전기 에너지 소비가 많은 시간(2시~6시)을 피하여 사용한다.

③ 플러그를 빼지 않으면 대기 에너지로 인해 새어나가는 전기 에너지가 있으므로 사용하지 않는 전자제품의 플러그를 뺀다.

④ 냉장고 문을 자주 열면 찬 공기가 빠져나가고 그만큼 더운 공기가 들어와 전기 에너지 소비가 많아지므로 자주 여닫지 않는다.

⑤ 가까운 거리는 걸어가거나 자전거를 이용하여 화석 연료의 사용을 줄인다.

⑥ 전기 에너지의 소비를 줄이기 위해 3층 이하의 높이는 걸어가거나 엘리베이터 사용을 줄인다.

⑦ 불필요한 전기 에너지 소비를 막기 위해 빈방이나 외출 시 전등을 끈다.

⑧ 화석 연료의 사용을 줄이기 위해 너무 긴 시간 동안 목욕을 하지 않는다.

⑨ 혼자 이동할 때는 화석 연료의 사용을 줄이기 위해 자동차보다는 대중교통을 이용한다.

⑩ 세탁물이 많으나 적으나 한 번에 소비되는 전기 에너지의 양은 같으므로 세탁물은 한 번에 모아서 세탁한다.

채점 기준 총체적 채점

문제 해결 능력 [8점] : 문제점을 해결할 수 있는 방법을 고안했는가?

적절한 아이디어의 수	점수
방법을 바르게 서술한 경우 1가지당	1점

모의고사 4회 평가 가이드

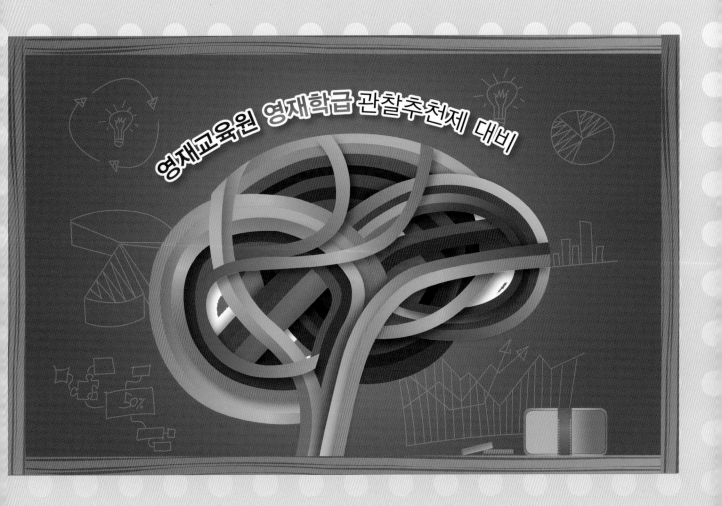

영재교육원 영재학급 관찰추천제 대비

안쌤의 「창의적 문제 해결력」 수학 과학 공통

모의고사

① 모의고사[4회]

- 최근 시행된 전국 관찰추천제 **기출 완벽 분석 및 반영**
- 서울권 창의적 문제해결력 **평가 대비**
- 영재성검사, 학문적성검사, **창의적 문제해결력 검사 대비**

② 평가 가이드 및 부록

- 영역별 점수에 따른 **학습 방향 제시와 차별화된 평가 가이드 수록**
- 창의적 문제해결력 평가와 면접 기출유형 및 예시답안이 포함된 **관찰추천제 사용설명서 수록**

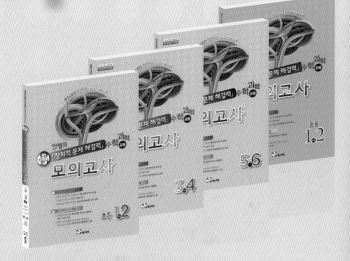

안쌤의
「창의적 문제 해결력」

모의고사 ⑭ 문항 구성

전국 영재교육 대상자 선발
관찰추천제 유형에 따른 맞춤형 문항 구성!!

	문항 구성	창의적 문제해결력 평가	영재성검사	학문적성검사	창의적 문제해결력 검사	창의 탐구력 검사
수학	사고력 4문항	●	●	●	●	
	창의성 2문항	●	●		●	●
	STEAM 1문항	●	●	●	●	●
과학	사고력 4문항	●	●	●	●	
	창의성 2문항	●	●		●	●
	STEAM 1문항	●	●	●	●	●

안쌤의
창의적 문제해결력 시리즈

초등 1~2 학년

초등 3~4 학년

초등 5~6 학년

중등 1~2 학년

안쌤의
줄기과학 시리즈

새 교육과정
3~4학년
학기별
STEAM 과학

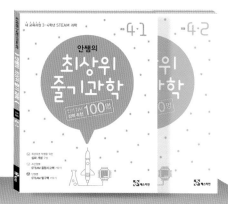

3-1 **8강** 3-2 **8강**   4-1 **8강** 4-2 **8강**

새 교육과정
5~6학년
학기별
STEAM 과학

5-1 **8강** 5-2 **8강**   6-1 **8강** 6-2 **8강**

새 교육과정
중등 영역별
STEAM 과학

물리학 24강 **화학 16강** **생명과학 16강** **지구과학 16강**   **물리학 워크북**   **화학 워크북**

안쌤의
창의적 문제해결력 시리즈

안쌤의
줄기과학 시리즈

새 교육과정
3~4학년
학기별
STEAM 과학

3-1 **8강**　3-2 **8강**　　　　4-1 **8강**　4-2 **8강**

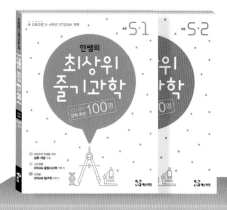

새 교육과정
5~6학년
학기별
STEAM 과학

5-1 **8강**　5-2 **8강**　　　　6-1 **8강**　6-2 **8강**

새 교육과정
중등 영역별
STEAM 과학

물리학 **24강**　화학 **16강**　생명과학 **16강**　지구과학 **16강**　　　물리학 워크북　화학 워크북

안쌤의

「창의적 문제 해결력」 수학 과학 공통

모의고사 5.6학년

관찰 추천제 사용 설명서

 매스티안

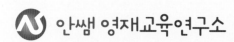

안쌤 영재교육연구소

상위 1%가 되는 길로 안내하는 이정표로,
학생들이 꿈을 이루어갈 수 있도록 콘텐츠 개발과 강의 연구를 하고 있다.

안쌤영재교육연구소
**카카오톡
친구 추가하고**
교육 상담 받으세요~!!

저자 **안쌤 영재교육연구소**

안재범, 최은화, 유나영, 이상호, 추진희, 오아린, 허재이, 이민숙, 이나연, 김혜진, 김샛별

이 교재에 도움을 주신 선생님

강영미, 고려욱, 김민경, 김민정, 김성희, 김영균, 김은수, 김정숙, 김정아, 김정환, 김지영, 김진남,
김진선, 김진영, 김현민, 김형진, 김희진, 노관호, 류수진, 마성재, 박기훈, 박미경, 박선재, 박은아,
박재현, 박지숙, 박진국, 백광열, 서윤정, 손현선, 송경화, 신석화, 신한규, 어유선, 오소영, 유경아,
유승희, 유영란, 유지유, 윤선애, 윤소영, 윤이현, 이경미, 이미영, 이석영, 이아란, 이은덕, 이은범,
이진실, 임선화, 임성은, 임은란, 장수진, 장시영, 전정희, 전진홍, 전현정, 전희원, 정지윤, 정대현,
조영부, 조지흔, 채윤정, 채중석, 최용덕, 최지유, 추지훈, 하정용, 한현정, 홍애순

관찰추천제 사용설명서

영재교육원 종류 및 시기

기관	선발 방법	선발 시기
교육지원청 영재교육원	창의적 문제해결력 및 면접 평가	11월~12월
단위학교 영재교육원	창의적 문제해결력 및 면접 평가	11월~12월
직속기관 영재교육원	창의적 문제해결력 및 면접 평가	11월~12월
영재학급	창의적 문제해결력 및 면접 평가	2월~3월
대학부설 영재교육원	창의적 문제해결력 및 면접 평가	8월~11월

※ 지역별로 선발 과정이 다를 수 있으니 반드시 해당 영재교육원 모집 공고를 확인하세요.

② 일정 및 방법

- 교육지원청 영재교육원 및 직속기관, 단위학교 영재교육원

단계	주관	일정	세부 내용
지원 단계	학생	11월	• GED에서 지원서, 자기체크리스트 작성 • 지원서를 출력하여 소속 학교 담임교사에게 제출
추천 단계	소속 학교	11월	• 담임교사 학생 지원 자료 확인 및 창의적인성검사 제출 • 학교추천위원회 학교별 지원자 명단 확인 후 최종 추천
창의적 문제해결력 및 면접 평가 단계	교육지원청	12월	• 창의적 문제해결력 및 면접 평가 실시
최종 합격자 발표	교육지원청	12월	• 아래 합산 성적순 - 교사 체크리스트 : 20점 - 창의적 문제해결력 평가 : 70점 - 면접 : 10점

③ 유의 사항

- 동일 교육청 소속 영재교육원 중복 지원 불가
- 동일 학년도 내에서 영재교육기관 합격자는 타 영재교육기관에 지원 불가
- 중복 지원이 허용되는 경우 중복 합격이 가능하지만 중복 등록은 불가

Ⅰ 자기소개서

① 자기소개서란

자기소개서는 자신을 소개하는 글이다. 어떻게 자라왔고, 미래의 목표를 위해 현재 무엇을 하고 있으며, 장래계획은 무엇인지 서술한다. 따라서 과거와 현재, 미래가 일관되고 유기적으로 조합되어 있어야 자신을 잘 드러낼 수 있다. 자기소개서는 꾸밈없이 진솔하게 작성해야 한다. 거짓이나 과장이 들어 있으면 안 된다. 자신을 돋보이려고 화려하게 꾸미는 것도 좋은 결과를 낼 수 없다.

자기를 소개하는 글을 써본 적이 없는 학생들이 갑작스럽게 자기소개서를 작성한다는 것은 굉장히 부담스럽고 어려운 일이다. 그러나 자기소개서는 반드시 자신이 직접 써야 한다. 자기소개서를 잘 작성하려면 논술처럼 선생님의 지도만으로는 어렵다. 스스로 작성하지 않고 다른 사람의 도움을 받아 글을 작성한 경우는 심층 면접 과정을 통해 고스란히 밝혀질 수밖에 없다. 그러므로 평소에 자기 자신을 잘 나타낼 수 있도록 글을 쓰고, 수시로 글을 수정하는 노력이 필요하다.

② 자기소개서를 쓰는 이유

영재교육원에서 자기소개서를 요구하는 이유는 무엇일까? 자기소개서는 학생생활기록부만으로는 평가할 수 없는 지원자의 능력을 보다 객관적으로 세밀하게 파악할 수 있는 방법이다. 가정 환경이나 성장 과정으로 개인의 성격이나 가치관을 파악할 수 있으며, 지원 동기로 지원자의 열정과 장래성을 알 수 있다. 따라서 자기소개서에 일반적이고 추상적인 문구를 나열하기보다는, 자신의 강점을 뒷받침해 줄 수 있는 구체적인 일화나 경험이 있으면 좋다.

③ 자기소개서를 쓰기 전에 해야 할 일

자기소개서를 쓰기 전에, 먼저 준비해야 할 것이 있다. 자신의 진로에 대한 확실한 목표를 정해야 한다. 나는 왜 영재교육원에서 공부하고 싶은지, 영재교육원 수업이 나의 진로에 어떠한 도움이 되는지, 나는 장차 무엇이 될지에 대한 확실한 목표가 있어야 한다. 자신의 진로에 대한 고민과 분명한 목표를 가지고 있으면 일관성 있는 자기소개서를 작성하기 쉽다. 또한 분명한 목표를 가지고 준비하는 사람만이 합격의 영광을 맛볼 수 있다. 진로에 대한 뚜렷한 목표가 있어야 성공에 대한 기대치가 크게 나타나며, 자신을 발전할 수 있게 만든다. 영재교육원에서도 목표 의식이 분명하고 자식의 진로에 대해 고민을 많이 한 학생을 선호하고 선발할 것이다.

❹ 자기소개서 작성 요령

자기소개서에는 정답이나 모범 답안이 없다. 각자 삶의 방식이 다양한 만큼 자기소개서 역시 다양할 수밖에 없다. 자기소개서는 무턱대고 자신을 칭찬하고 미화하는 목적의 글이 아니다. 대부분 학생이 과잉 자찬이나 과잉 겸손의 형태로 글을 쓰는데, 자기소개서는 과장되지 않아야 하고, 깔끔한 논리로 자신을 어필할 수 있도록 적어야 한다. 자기소개서를 작성하는 형식은 특별히 정해진 것이 없다. 문항별로 적합한 내용을 적어야 하고, 전체적으로는 내용이 일관되어야 한다.

가. 스토리텔링 기법을 활용하자.

스토리텔링 기법을 이용하면 자신의 진솔한 이야기와 경험을 살려 면접관에게 나의 이야기를 들려줄 수 있고, 다른 사람과는 다른 경험을 통해 나만의 독특한 이미지를 만들 수 있다. 그러나 자기소개서 전체를 이러한 사례를 나열하는 수준으로 작성해서는 안 된다. 자신의 강점이나 차별성을 잘 보여줄 수 있는 항목에 적당한 양의 사례를 추가하는 것이 좋다.

나. 자기소개서의 특징을 파악하자.

문항별로 적합한 내용을 적어야 하고, 전체적으로 내용이 일관되어야 한다. 추상적 사건을 나열하다 보면 정신만 없고 내용 전달이 어려워진다. 한 가지 또는 두 가지 사례를 구체적으로 적어 읽는 이로 하여금 신뢰감이 생기고 감동하도록 해야 한다.

다. 성장 과정을 기록하자.

가족 구성원의 특성, 가정 분위기 및 집안의 자랑거리, 부모님으로부터 얻은 교훈과 깨달음 등을 적는다. 단순히 나열하여 쓰기보다는 특별한 사건과 그로 인해 얻은 경험을 진솔하게 적는 것이 좋다. 처음 과학이나 수학에 흥미를 느낀 사례나 해당 분야와 관련 있는 집안의 분위기를 써도 좋다.

라. 지원동기를 구체적으로 적자.

지원 분야에 관심을 가지게 된 사건이나 계기, 관심 있는 분야에 관한 자신의 활동이나 노력 등을 구체적으로 적는다. 이는 자신이 지원 분야에 얼마나 큰 관심이 있으며, 이를 위해 꾸준히 어떠한 활동을 해왔다는 것을 보여준다. 단순히 영재원에 합격하는 것이 목적이 아니라, 내가 관심 있는 분야를 공부해 나가는 과정에서 영재원이 더 큰 도움이 될 것이라는 흐름으로 적는 것이 좋다. 지원동기에는 자신의 열정이 나타나야 하고, 앞으로 어떤 일들을 하고 싶다고 반드시 표현해야 한다.

마. 노력과 의미 있는 경험을 적자.

이 문항은 대부분 지원동기와 연결된다. 지원동기에서 노력과 활동을 하게 된 계기, 이유 등을 간단히 밝혔다. 그러므로 여기서는 다양한 활동과 노력을 강조하기보다는 의미 있다고 생각하는 활동과 자신의 노력을 한두 가지를 골라 구체적으로 적는다. 활동의 내용뿐만 아니라 그 이후의 느낀 점이나 변화된 점을 적으면 더욱 좋다.

바. 자신의 관심 분야를 적자.

관심 분야를 서술하는 문항은 지원동기, 학업계획, 진로 관련 문항과 연결되므로, 이들은 모두 반드시 유기적으로 연결되어야 한다. 관심을 가진 계기나 이유를 사례 형태로 기술하고, 이에 대한 증거로 독서나 체험 활동 등의 증거를 제시하고, 각종 대회에 참가한 경험이나 수상경력을 간단히 언급하면 좋다. 일회성으로 대회에 참가하거나 수상하는 것보다는 계속된 참가와 수상이 더 신뢰를 줄 수 있다.

사. 학업계획과 진로를 적자.

이 문항은 지원동기와 연결되는 문항으로, 내용이 서로 연결되도록 적어야 한다. 지원 분야 중 관심 있는 분야와 진로를 먼저 제시하고, 자신이 이것을 이루기 위해 어떠한 계획을 하여 어떠한 활동을 하고 있는지 적는다. 면접관들은 이 문항을 통해, 지원하는 분야에 대한 심화학습 정도를 알 수 있다.

아. 자신의 장점과 단점을 솔직히 적자.

장점은 구체적으로 적어야 하고, 너무 많은 장점을 장황하게 나열하는 것보다 강한 장점을 한두 가지만 적는 것이 좋다. 지원동기나 다른 문항에서 학업적 역량에 관한 장점을 적었다면, 여기서는 열정, 노력, 끈기, 몰입도 등 인성적인 측면을 강조하면 좋다. 자신의 장점이 크게 작용한 사례를 적으면 좋다. 단점은 이를 극복하기 위해 어떻게 노력하고 있는지를 사례로 적으면 강한 인상을 줄 수 있다.

자. 자기소개서에 특별한 제목을 넣자.

면접관들은 수십, 수백 개의 자기소개서를 읽는다. 수많은 자기소개서 중에서 자신의 자기소개가 눈에 띌 수 있도록, 자신을 압축하여 잘 표현할 수 있는 제목을 붙여 보자.

차. 키워드를 찾아 통일감 있게 쓰자.

자기소개서에는 다양한 항목이 있다. 항목별로 자신의 답변을 주요 키워드로 요약했을 때, 각 키워드가 관계성을 가지고 서로 연결되어 있으면서 전체적으로 모든 키워드가 일관성이 있어야 한다. 아무리 좋은 글을 썼다 해도 전체적인 통일감이 없다면 진실성이 드러나지 않기 때문이다. 자기소개서는 기본적으로 구체적이고, 진실성이 있어야 하며, 전체적인 일관성이 기본적인 원칙이다.

카. 자기소개서를 모두 작성한 후에는...

작성한 글이 매끄럽게 읽어지는지 확인하고, 맞춤법 및 띄어쓰기를 확인해야 한다. 여러 번 반복하여 읽어 보고, 수정 보완한다.

① 영재성 입증자료

영재성 입증자료는 지원자의 능력, 관심, 성취도를 나타내는 산출물이다. 발명품, 실험 및 탐구일지나 기록, 수학 과학 분야 블로그 운영 등의 각종 산출물로, 지원자의 영재성과 잠재력을 입증할 수 있는 자료이다. 영재성 입증자료는 짧은 기간에 준비하기 쉽지 않다. 영재성 입증자료는 영재원이나 과학고를 준비하는 학생들에게 서류 전형에서 중요한 요소이므로, 평소에 오랫동안 남들과는 다른 독창적인 것을 미리 준비해 두는 것이 좋다.

② 영재성 입증자료 작성 요령

가. 자신이 직접 작성하자.

서류심사 중에 원본을 봐야겠다고 판단되는 경우에는 추가 제출을 요구할 수도 있다. 그러므로 작고 초라해 보일지라도 본인이 스스로 한 것 중에서 골라야 한다.

나. 자기소개서와 연결하자.

지원자의 특별한 장점과 영재성을 부각할 수 있는 것이어야 한다. 자신을 어필할 수 있는 자료를 선택해 자기소개서 또는 추천서의 내용과 일관되게 작성해야 한다.

다. 일관되고 지속적인 자료가 열정을 보여준다.

영재성 입증자료는 관심 영역에 대한 학습의 확장이다. 1년 이상 한 분야를 공부하면서 궁금했던 내용을 조사하고 실험하는 등 다양한 방법으로 문제를 해결한 흔적이 드러나 있는 자료나 관심 분야의 독서 기록물 등이 과제집착력을 보여주기에 좋다.

라. 결과보다는 과정을 부각하자.

자료의 결과만 제시하는 것보다 이를 완성해 내는 과정에서의 구체적인 노력 및 과정을 서술하고, 그 과정에서 느낀 점, 배운 점, 그 경험을 바탕으로 미래의 모습에 대한 고민 또는 목표의 변화 과정을 자세히 서술하는 것이 좋다. 경시대회의 수상실적을 영재성 입증자료로 제출하는 것은 안 되지만, 대회를 통해 자신의 탐구 결과를 소개하거나 그 과정이 본인에게 어떤 의미가 있었는지에 대한 자료는 제출할 수 있다.

마. 독창성과 진실성이 엿보이는 자료를 찾자.

독창적인 자료란 콜럼버스의 달걀처럼 누구나 쉽게 할 수는 있지만, 아무나 할 수 없는 문제에 호기심을 가지고 다가선 것을 말한다. 우리 주위의 여러 현상을 관찰하고,

호기심이 생기는 주제를 선택한 후, 원인을 조사하고 자신의 교육과정에 해당되는 지식으로 검증하는 과정을 다루는 것이 좋다.

바. 영재성 입증자료로 가능한 것을 찾자.

자신의 능력이나 관심 및 성취도를 나타낼 수 있는 자료를 찾아야 한다. 대학부설영재원 탐구활동, 학교 과학 경진 대회 등에서 발표한 탐구자료, 실험, 관찰보고서, 각종 발명 대회에 출품한 발명품, 과학 관련 체험 행사나 캠프 등에 참가한 경험이나 수상 기록 등이 실린 신문 기사 스크랩, 집에서 진행한 관찰일지, 수학 및 과학 관련 도서 독후감 등이 해당한다. 위와 같은 실적이 없는 경우에는 각 대회 출전 준비 과정 및 출전 경험을 기록해도 좋다. 준비 과정에서 어떠한 노력을 했는지, 준비하면서 어떤 부분이 향상되었는지 기록한다. 영재원이나 올림피아드와 같은 대회의 실적을 영재성 입증자료로 직접적으로 제시할 수는 없지만 영재원이나 영재학급에서의 보고서나 활동지는 활용할 수 있다. 영재성 입증자료는 학생의 결과만 보는 것이 아니라 과정을 중요시하는 평가 방식이므로, 현재까지 공부한 내용에 대한 노력의 흔적을 볼 수 있는 것으로 준비하는 것이 좋다.

사. 영재성 입증자료로 사용할 수 없는 것을 알아두자.

올리피아드와 같은 경시대회 입상실적, 영재학급이나 영재원 수료증, 수학·과학·영어·한자 등의 인증 시험 점수, 상장으로 표현되는 자료, 연속성이 없는 예전 자료 등은 영재성 입증자료로 적합하지 않다.

아. 원본 및 산출물을 촬영한 사진을 첨부한다.

영재성 입증자료는 서면으로 제작된 것이어야 한다. 플라스틱 파일이나 외장메모리, 또는 입체적인 자료는 사진으로 대체한다. 산출물을 뚜렷이 확인할 수 있도록 촬영해야 하고, 지원자와 함께 촬영된 사진이 포함되어야 한다.

❸ 영재성 입증자료 예시

가. 평소 수학과 과학에 얼마나 관심과 열정이 있는지를 증명하기 위해 꾸준히 작성한 것

관찰일기, 과학·수학 독후감, 탐구보고서, 수학이나 과학 관련 행사나 캠프에 참여했던 경험을 적은 보고서, 수학이나 과학과 관련된 신문이나 잡지 스크랩, 블로그 활동 등을 활용할 수 있다. 특히 관찰일기는 사고의 확장과정을 보여주기에 좋다.

나. 수상 실적을 이용

단순히 수상목록과 상장만 제출하면 안 된다. 탐구 주제 선정이유 → 탐구 동기 → 알고 싶었던 점 → 탐구를 통한 기대효과 → 탐구방법 → 탐구결과 → 느낀 점과 더 알고 싶은 점 순서로 참가 대회에서 탐구한 내용을 정리하면 좋다.

1 교육청 영재교육원, 영재학급 창의적 문제해결력 평가 (2학년)

수학 융합

1. 다음은 축구공의 전개도이다.

(1) 축구공 전개도의 특징을 적으시오.

[답안 작성]

[모범답안]
- 축구공은 꼭짓점 하나에 정육각형 2개, 정오각형 1개를 붙여서 만든 입체도형이다.
- 모든 평면도형의 변의 길이가 같다.
- 면의 개수가 32개인 32면체이다.
- 정오각형 12개, 정육각형 20개로 이루어진 도형이다.
- 한 꼭짓점에 모이는 도형의 개수가 3개이다.
- 꼭짓점의 개수는 60개이고, 모서리의 개수는 90개이다.

(2) 오각형 한 변 길이가 5 cm일 때 축구공 둘레의 길이를 구하시오.

[답안 작성]

[모범답안] 입체도형의 모서리 개수는 모두 90개이므로 90 × 5 cm = 450 cm이다.

1. (가), (나), (다)는 새의 부리 모습이다.

(가) 저어새   (나) 왜가리   (다) 독수리

(1) 부리 모습을 보고 각 새가 어떤 먹이를 먹는지 쓰시오.

[답안 작성]

[모범답안]
• 저어새 부리는 넓적한 주걱 모양이므로 물속에 있는 물고기, 물풀 등의 먹이를 걸러 먹기에 알맞다.
• 왜가리 부리는 창처럼 길고 뾰족하므로 물고기, 개구리, 쥐, 뱀, 곤충 등의 작은 먹이를 찔러서 잡기에 알맞다.
• 독수리 부리는 끝이 갈고리처럼 휘어지고 튼튼하므로 비둘기, 오리 등의 작은 먹이를 찢기에 알맞다.

[해설] 새의 부리는 살아가는 환경과 먹이의 종류에 따라 다른 모양으로 발달한다.

(2) 새 부리의 쓰임새를 5가지 쓰시오.

[답안 작성]

[모범답안] 먹이를 먹을 때, 깃털을 다듬을 때, 먹이를 사냥할 때, 둥지를 만들 때, 체온 조절 등

[해설] 새 부리는 혈관이 모여 있는 곳이며 표면은 딱딱한 키틴질로 싸여 있어 수분이 날아가지 않는다. 부리는 더운 날 수분 손실을 최대한 억제하면서 열을 내보내 체온을 조절한다.

2 교육청 영재교육원, 영재학급 창의적 문제해결력 평가 (3~4학년)

수학

1. 8칸×9칸 사각형이 있다.

(1) 8칸×9칸 사각형에 색칠을 하려고 할 때 모든 변이 닿지 않도록 하고, 가장 많은 칸을 색칠하려고 한다. 색칠할 수 있는 칸의 수는 몇 개인지 구하시오.

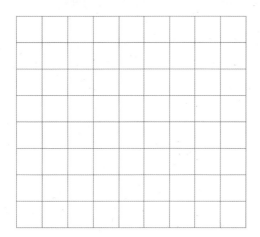

[답안 작성]

[모범답안] 색칠할 수 있는 칸의 수는 5×4 + 4×4 = 4×9 = 36칸이다.

[해설] 문제의 조건에 맞게 칸을 색칠해보고, 규칙성을 찾는다.

(2) 색칠한 도형의 둘레를 구하시오. (정사각형의 한 변의 길이는 1이다.)

[답안 작성]

[모범답안] 한 변의 길이가 1이므로 36×1×4 = 144이다.

[해설] 모든 변이 서로 닿지 않으므로 색칠한 도형의 둘레의 길이는 정사각형의 개수×한 변의 길이×4와 같다.

10 관찰추천제 사용설명서

(3) 11칸×12칸 사각형인 경우 (1)과 같은 방법으로 색칠했을 때 색칠한 도형의 둘레를 구하시오.

[답안 작성]

[모범답안] (1)에서 찾은 규칙성을 활용하면 12칸의 정사각형이 이어진 한 줄에 6칸씩 칠할 수 있고,
그렇게 칠한 것이 11줄 있다는 것을 알 수 있다. 따라서 도형의 둘레는 6×11×1×4 = 264이다.

[해설] 12개의 정사각형이 이어진 한 줄에 한 칸씩 건너 색칠하면 모두 6칸을 색칠할 수 있다.

2. 주어진 수열을 보고 오른쪽으로 10번째, 아래쪽으로 4번째의 수를 구하시오.

1	2	9	10	25	26
4	3	8	11	24	27
5	6	7	12	23	28
16	15	14	13	22	29

...

⋮

[답안 작성]

[모범답안]

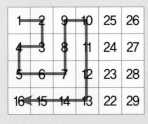

주어진 수열에서 수가 나열된 규칙은 다음과 같다.
위 규칙에 따르면 첫 번째 행(가로줄)의 짝수 열(세로줄)의 수는 2, 10, 26, …이며
8, 16, 24, 32, … 8의 배수로 증가하는 것을 확인할 수 있다.
또한, 아래로 내려가며 1씩 커지는 수가 배열된다.
따라서 첫 번째 행의 오른쪽 10번째 수는 2 + 8 + 16 + 24 + 32 = 82이며,
아래쪽으로 4번째의 수는 82 + 3 = 85이다.

[해설] 수열의 규칙을 찾아 설명하고, 그 규칙을 이용해 답을 구한다.

1. 다음 실험을 보고 물음에 답하시오.

투명한 플라스틱 컵 (가)와 종이컵 (나)에 포도 주스와 얼음을 넣고 물기를 닦은 후 전자저울에 올려 무개를 재보니 200 g이었다.

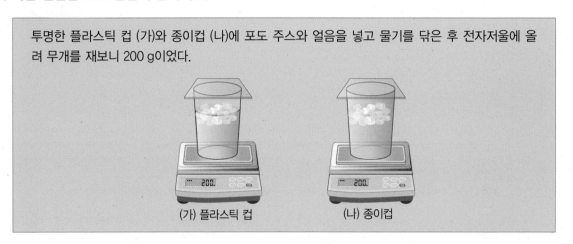

(가) 플라스틱 컵　　　　　　　　(나) 종이컵

하루가 지난 후, 두 컵에 나타나는 변화를 비교하여 쓰시오. (단, 유리판, 컵, 접시의 무게는 고려하지 않는다.)

[답안 작성]

[모범답안] 하루가 지나면, 플라스틱 컵의 무게는 그대로지만 종이컵의 무게는 증가한다. 포도 주스와 얼음을 컵에 넣어 두면 포도 주스의 온도가 내려가 컵 표면에 공기 중의 수증기가 물방울로 바뀐 이슬이 맺힌다. 플라스틱 컵에 맺힌 이슬은 시간이 지나면 증발해 사라지므로 무게가 같지만, 종이컵은 이슬을 흡수하므로 무게가 증가한다.

[해설] 두 컵 모두 위에 유리판을 덮었기 때문에 포도 주스가 증발하지 않으므로 주스의 양은 같다.

2. 실생활 속에서 응결과 증발의 예를 찾아 각각 2가지씩 쓰시오.

[답안 작성]

[모범답안]
- 증발 : 젖은 빨래가 서서히 마른다. 손을 씻고 닦지 않아도 마른다. 어항의 물이 줄어든다. 염전의 물이 증발하여 소금이 만들어진다. 젖은 오징어가 말라 마른 오징어가 된다. 등
- 응결 : 차가운 얼음물이 담겨 있는 컵에 물방울이 맺힌다. 새벽에 풀잎이나 나무 표면에 이슬이 맺힌다. 맑은 날 아침에 강가나 호숫가에 안개가 생긴다. 공기가 상승하여 높이 올라가면 구름이 생긴다. 등

[해설] 증발은 액체 표면에서 액체가 기체로 바뀌는 현상이고, 응결은 기체가 액체로 바뀌는 현상이다.

3. 가위에 새로운 기능을 추가하여 발명품을 만드시오.

[답안 작성]

[예시답안]
- 가위에 레이저를 단다. 종이를 자를 때 레이저가 종이에 비치므로 종이를 곧게 자를 수 있다.
- 가위 중앙에 받침대를 만들어서 가위 날이 식탁 바닥에 닿지 않도록 하면 음식을 깨끗하게 자를 수 있다.
- 가위 날을 여러 개를 만들어서 한 번에 여러 조각으로 자를 수 있게 만든다.
- 가위 날 두 개를 붙여서 채소를 한입 크기로 자를 수 있도록 한다.
- 가위 날을 둥글게 만들어서 새우처럼 둥근 물체를 자를 수 있도록 한다.
- 가위를 접어서 보관할 수 있게 만든다.

[해설] 주위의 물체를 잘 관찰하고 불편한 점을 개선하거나 새로운 기능을 추가하여 발명품을 만드는 연습을 한다.

교육청 영재교육원, 영재학급 창의적 문제해결력 평가 (5~6학년)

1. 두 거울 사이의 각도와 거울에 비치는 상의 개수는 다음과 같다.

> 두 거울 사이의 각이 180°일 때 – 거울에 비치는 상의 개수 1개
> 두 거울 사이의 각이 90°일 때 – 거울에 비치는 상의 개수 3개
> 두 거울 사이의 각이 60°일 때 – 거울에 비치는 상의 개수 5개

(1) 두 거울 사이의 각도와 거울에 비치는 상의 개수 사이의 규칙성을 찾고, 두 거울 사이의 각이 30°일 때 거울에 비치는 상의 개수를 구하시오.

[답안 작성]

[모범답안] 두 거울 사이의 각이 90°일 때 거울에 비치는 상의 수는 3개, 60°일 때 거울에 비치는 상의 수는 5개이므로
상의 개수 = 360° ÷ 거울 사이의 각 - 1로 구할 수 있다.
따라서 거울 사이의 각이 30°일 때 거울에 비치는 상의 개수는 360° ÷ 30° - 1 = 11개이다.

[해설] 두 거울 사이의 각도와 거울에 비치는 상의 개수 사이의 규칙성을 찾는다.

(2) 두 거울 사이의 각도가 90°일 때 물체와 물체의 상은 사각형을 이룬다. 물체와 물체의 상이 오각형을 이룰 때 두 거울 사이의 각도를 구하시오.

[답안 작성]

[모범답안]
거울 사이의 각이 90°일 때 : 사각형
거울 사이의 각이 60°일 때 : 육각형
거울 사이의 각 = 정다각형의 한 외각의 크기이다.
정오각형의 한 외각의 크기는 72°이므로 오각형일 때의 거울 사이의 각도는 72°이다.

[해설] 거울 사이의 각도와 거울에 비치는 상과 물체로 만들어지는 정다각형의 한 외각 사이의 규칙성을 찾는다.

2. 다음은 성냥개비 6개로 만든 도형이다. 이 도형의 넓이의 2배가 되는 도형을 성냥개비 12개로 만드시오.

[답안 작성]

[모범답안]

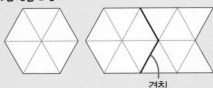

[해설] 성냥개비 6개로 만든 정육각형의 넓이를 6등분 하면 다음과 같다. 육각형 모양의 도형 넓이의 2배가 되려면 육각형을 이루는 작은 정삼각형 12개와 넓이가 같은 도형을 만들면 된다.

겹침

위와 같은 도형은 넓이는 2배이지만 사용된 성냥개비 개수가 10개뿐이므로 문제의 조건에 맞지 않는다.

1. 철수는 아래 사건의 원인을 알아보기 위해 실험을 하였다.

> [사건]
> 2014년 8월 OO일, OOO 씨는 남대문 야외 주차장에 차를 주차한 뒤 자는 아이를 두고 내렸다. 잠시 후, 안전요원 OOO 씨가 아이가 차 안에 쓰러져 있는 것을 보고 119에 신고하였다. 차 안에 혼자 있던 아이는 차 안의 온도가 너무 많이 올라가 잠시 기절했지만, 다행히 생명에는 지장이 없었다.
>
> [실험]
> ① 스타이로폼 상자 두 개에 온도계를 넣고 하나는 유리판을 덮고 다른 하나는 덮지 않는다.
> ② 두 스타이로폼 상자를 햇빛이 비추는 곳에 두고 5분 간격으로 스타이로폼 상자 안의 온도를 측정한다.

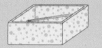

(1) 위 실험에서 철수가 생각한 가설을 쓰시오.

[답안 작성]

(2) 위 실험에서 같게 해 주어야 할 조건(3가지)과 다르게 해 주어야 할 조건(1가지)을 쓰시오.

[답안 작성]

(3) 다음은 위 실험의 결과이다. 그래프 A와 B 중 유리판을 덮은 스타이로폼 상자를 고르고 그렇게 생각한 이유를 쓰시오.

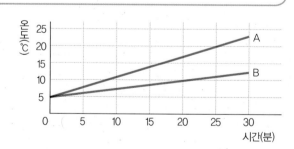

[답안 작성]

(4) 실험 장치의 온도 변화가 위 그래프와 같이 나타난 이유를 쓰시오.

[답안 작성]

(5) 실험 장치의 온도가 올라가지 않게 하기 위한 방법과 여름철 차 안의 온도가 올라가지 않게 하기 위한 방법을 각각 쓰시오.

[답안 작성]

(6) 실험에서 일사병의 원인을 찾고 해결 방안을 3가지 쓰시오.

[답안 작성]

[모범답안]
(1) 밀폐된 곳에서는 온도가 빨리 올라갈 것이다.
(2) • 같게 해야 할 것 : 스타이로폼 상자의 부피, 빛의 세기, 상자와 빛의 간격 등
   • 다르게 해야 할 것 : 상자의 밀폐
(3) A는 유리판을 덮은 스타이로폼 상자이고, B는 유리판을 덮지 않은 스타이로폼 상자이다. 스타이로폼 상자를 유리판으로 덮으면 밀폐되어 열이 빠져나가지 못하기 때문에 온도가 높아진다.
(4) 유리판을 덮으면 열이 스타이로폼 상자 내부에 갇혀 있으므로 온도가 빨리 올라간다. 하지만 유리판이 없으면 데워진 스타이로폼 상자 내부의 공기가 밖으로 빠져나가고 상대적으로 온도가 낮은 공기가 상자 안으로 들어오는 순환이 일어나므로 온도가 빨리 올라가지 않는다.
(5) • 실험 장치 : 스타이로폼 상자 내부의 공기가 순환 할 수 있도록 뚜껑을 열어 두고 공기가 빠르게 순환할 수 있도록 선풍기를 틀어준다. 햇빛을 반사할 수 있도록 스타이로폼 상자 위쪽에 반사판을 설치한다.
   • 차 : 그늘에 주차하고 창문을 열어 두어 공기가 순환하도록 한다. 차가 햇빛을 받지 않도록 덮개를 씌운다.
(6) 일사병은 오랫동안 높은 온도에 있을 때 체온이 상승하여 나타나는 병이다. 일사병을 예방하기 위해서는 오랜 시간 동안 뜨거운 햇빛 아래 있지 않아야 하고, 시원한 물을 자주 마시고, 바람이 잘 통하는 곳에서 충분히 휴식해야 한다.

수학

1. 오각형이 다음과 같이 겹쳐진 채로 그려져 있다. 겹쳐진 오각형의 개수에 따라 생기는 점의 개수와 나눠진 면의 개수에 관한 표를 만들고 규칙을 쓰시오.

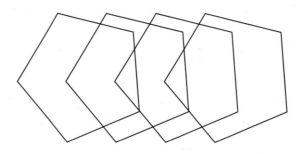

[답안 작성]

[모범답안]

오각형의 개수	2	3	4
점의 개수	2	6	10
면의 개수	3	7	11

겹쳐진 오각형의 개수가 1개씩 늘어남에 따라 생기는 점의 개수와 나누어진 면의 개수가 모두 4개씩 증가한다.

[해설] 오각형의 개수가 하나씩 늘어남에 따라 생기는 점과 나누어지는 면의 개수 사이의 규칙성을 찾는다.

2. 다음 물음에 답하시오.

(1) 한 번 접어서 같은 모양이 되는 것과 두 번 접어도 같은 모양이 되는 글자를 쓰시오.

[답안 작성]

[모범답안]
- 한 번 접어서 같은 모양이 되는 글자 : 마, 먀, 머, 며, 모, 묘, 무, 뮤, 므, 미, 보, 뵤, 부, 뷰, 브, 소, 쇼, 수, 슈, 스, 아, 야, 어, 여, 오, 요, 우, 유, 으, 이, 조, 죠, 주, 쥬, 즈, 초, 쵸, 추, 츄, 츠, 타, 탸, 터, 텨, 티, 파, 퍄, 퍼, 펴, 포, 표, 푸, 퓨, 프, 피, 호, 효, 후, 휴, 흐, 몸, 뭄, 몸, 믐, 몹, 뭅, 못, 뭇, 못, 뭋, 믓, 몽, 뭉, 뭏, 봄, 붐, 븀, 븜, 봅, 붑, 븝, 봇, 붓, 봋, 붗, 봉, 붕, 븅, 븡, 솜, 솜, 숨, 슘, 슴, 솝, 숩, 숩, 습, 솟, 솟, 숫, 숯, 숫, 송, 숑, 숭, 슝, 승, 숯, 숲, 오, 용, 웅, 윰, 읗, 옵, 욥, 읍, 윱, 읍, 옷, 욧, 웃, 윳, 읏, 옹, 용, 웅, 융, 응, 웃, 옻, 욫, 욫, 읃, 읃, 좀, 줌, 쥼, 즘, 좁, 줍, 즙, 좃, 줏, 즛, 좇, 좋, 촘, 춈, 춤, 츄, 츰, 춉, 춥, 춥, 촛, 춧, 츳, 폼, 품, 퓸, 픔, 폽, 푭, 픕, 픕, 폿, 풋, 풋, 풎, 풋, 퐁, 풍, 퓽, 홈, 훔, 휴, 흠, 홉, 흡, 흡, 홋, 효, 훗, 훘, 흣, 홍, 훙, 흉, 흥
- 두 번 접어도 같은 모양이 되는 글자 : 응, 믐

[해설] 한 번 접어 같은 모양이 되는 글자는 자음과 모음이 선대칭이고 대칭축이 1개 이상 있어야 한다. ㅂ, ㄷ, ㅅ, ㅈ, ㅊ, ㅎ, ㅏ, ㅑ, ㅓ, ㅕ, ㅗ, ㅛ, ㅜ, ㅠ 등이 있으므로 이 자음과 모음을 조합하여 만든 글자는 한 번 접어도 같은 모양의 글자가 된다.
두 번 접어서 같은 모양이 되는 글자는 자음과 모음이 선대칭이어야 하고 대칭축이 2개 이상이어야 한다. ㅁ, ㅇ, ㅣ, ㅡ 등이 있으며 이 자음과 모음을 조합하여 만든 글자는 두 번 접어도 같은 모양의 글자가 된다.

(2) 자음과 모음 중 하나를 골라 두 글자 단어를 만든 뒤 그 단어가 나타내는 물체를 그림으로 그리고 그림에서 그 단어를 구성하는 자음이나 모음을 찾아 표시하시오.

[답안 작성]

[예시답안]
- 선택한 자음 : ㅇ
- 만든 두 글자의 단어 : 가위
  가위 손잡이에서 ㅇ을 찾을 수 있다.

[해설] 자신이 선택한 자음이나 모음을 이용해 단어를 만들고 그 단어가 나타내는 물체의 그림에서 선택한 자음이나 모음을 찾을 수 있도록 그림을 그린다.

1. 다음과 같이 수조에 검정말을 거꾸로 세워 고정한 후 검정말을 비추는 전등의 거리를 다르게 하면서 빛을 5분 동안 비추었다. 전등과 검정말 사이의 거리와 시험관 속의 기포 발생 수는 다음과 같았다.

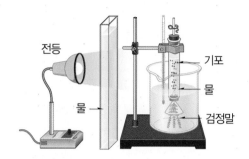

전등과 검정말 사이의 거리(cm)	5	10	15	20	…
검정말 기포 발생 수(개)	30	28	20	10	…

(1) 검정말이 광합성을 하는 증거를 2가지 쓰시오.

[답안 작성]

[모범답안]
• 검정말에서 산소가 발생한다.
• 모아진 기체에 불꽃을 가까이하면 잘 탄다.
• 검정말을 꺼내어 엽록소를 제거한 후 아이오딘 – 아이오딘화 칼륨 용액을 뿌리면 잎이 청람색으로 바뀐다.

[해설] 식물은 엽록체에서 빛에너지를 흡수하여 이산화 탄소와 물을 원료로 하여 포도당을 만들고 산소를 방출하는데, 이를 광합성이라고 한다. 광합성 결과 최초로 만들어지는 유기 양분은 포도당이지만 곧 녹말로 바뀌어 잎에 잠시 저장된다. 따라서 아이오딘 – 아이오딘화 칼륨 용액을 이용하여 광합성 산물을 확인할 수 있다.

(2) 시험관 속의 기포 수를 세는데 너무 작아서 세어지지 않는다. 이를 보완할 수 있는 방법을 쓰시오.

> [답안 작성]

[모범답안] 온도를 38 ℃에 가깝게 맞춰 광합성량을 최대로 하고 이산화 탄소의 용해도를 낮춘다.

[해설] 광합성 결과 산소가 만들어지고, 그중 물에 녹지 못하는 산소는 기포가 된다. 기체는 온도가 높을수록 용해도가 낮아지므로 큰 기포가 생성된다. 또한 35~38 ℃일 때 광합성량이 최대이므로 발생하는 기포의 양이 많다.

(3) 시험관 속의 기포가 너무 가끔씩 발생하여 실험 결과를 측정하기 힘들었다. 이를 보완할 수 있는 있는 방법을 쓰시오.

> [답안 작성]

[모범답안] 물 대신 이산화 탄소가 포함된 탄산수소 나트륨 용액을 넣고, 온도를 38 ℃에 가깝게 맞춰 광합성량을 최대로 해준다.

[해설] 광합성은 빛의 세기, 이산화 탄소의 농도, 온도에 의해 영향을 받는다. 빛의 세기에 의한 광합성량을 알아보는 실험이므로 이산화 탄소의 농도를 높게 하고 온도를 35~38 ℃에 가까이하면 광합성량이 최대가 된다.

1 교육청 영재교육원, 영재학급 면접 평가 (2학년)

 융합

1. 동물이나 사물을 본 떠 만든 물건이 많다. 비행기는 새를 본 떠 만들었다.

① 전신 수영복은 무엇을 본 떠 만들었는지 쓰시오.

[답안 작성]

② 잠자리를 본 떠 만든 것은 무엇인지 쓰시오.

[답안 작성]

③ 벨크로(찍찍이)는 무엇을 본 떠 만든 것은 무엇인지 쓰시오.

[답안 작성]

[예시답안]
① 전신 수영복은 상어의 비늘을 본 떠 만들었다.
② 잠자리 날개의 펄럭임을 본 떠 비행 로봇을 만들었다.
③ 벨크로는 도꼬마리 열매를 본 떠 만들었다.

[해설] 상어의 비늘을 확대해 보면 작은 갈비뼈 모양으로 홈이 파여 있다. 물체의 표면에 미세한 홈을 달면 표면 마찰로 인한 저항을 줄일 수 있어 빠르게 수영할 수 있다.

전신 수영복 표면
상어비늘

▲ 잠자리 로봇

▲ 도꼬마리 열매

2. 만약 추운 북극지방에서 코끼리가 살아왔다면 어떤 모습일지 이유와 함께 5가지 쓰시오.

[답안 작성]

[예시답안]
• 추위를 견디기 위해 여러 겹의 털이 자랐을 것이다.
• 추위를 견디기 위해 몸에 두꺼운 지방층이 생겨 몸집이 지금보다 더 컸을 것이다.
• 체온이 빠져나가지 않도록 표면적을 줄이기 위해 귀의 크기가 작고, 꼬리도 짧았을 것이다.
• 먹이가 부족하여 낙타처럼 지방 덩어리를 혹으로 모아놓았을 것이다.
• 발은 펭귄처럼 원더네트(열교환 구조)나 혈액을 많이 흐르는 구조로 발이 얼지 않았을 것이다.
• 보호색으로 몸에 난 털이 하얀색이었을 것이다.
• 열이 빠져나가는 것을 막기 위해 몸이 둥글둥글해졌을 것이다.
• 추위를 이기기 위해 무리 지어 생활했을 것이다.

[해설] 추운 북극지방에서 코끼리가 살았다면 매머드와 비슷하게 모습이 변해 추위를 이겨냈을 것이다. 몸의 표면적을 줄여 체온을 유지하고, 발이 얼지 않는 구조로 환경에 적응했을 것이다.

수학

1. 20개의 상자에 각각 20개의 금반지가 들어 있다. 금반지 1개의 무게는 10 g이고 각 상자에는 모두 200 g의 금반지가 있다. 그러나 20개의 상자 중 1개에는 가짜 금반지가 있다. 가짜 금반지 1개의 무게는 9 g이고, 20개의 무게는 180 g이다. 전자저울을 한 번만 사용하여 가짜 금반지가 들어 있는 상자를 찾는 방법을 쓰시오.

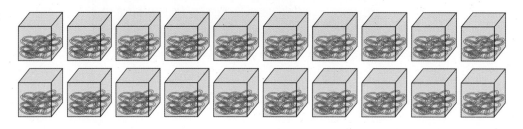

[답안 작성]

[모범답안] 각 상자에 1, 2, 3, ⋯, 20까지 번호를 정하고, 1번 상자에서 금반지 1개, 2번 상자에서 금반지 2개, ⋯, 20번 상자에서 금반지 20개를 꺼내어 무게를 전자저울로 측정한다.

만약 모든 금반지가 진짜라면 그 무게는 (1 + 2 + 3 + ⋯ + 20) × 10 g = 210 × 10 g = 2100 g일 것이다.

이 무게와 측정한 무게 사이의 차를 이용해 어느 상자에 가짜 금반지가 들어 있는지 알 수 있다.

만약 측정한 무게가 2097 g이라면 2100 g − 2097 g = 3 g이므로 3번 상자에 가짜 금반지가 들어 있다.

[해설] 각 상자에 번호를 정하고, 그 번호만큼의 반지를 꺼내어 무게를 측정한다.

2. ㉠~㉤ 5대의 차가 경주를 하고 있다. 5대의 차 중 ㉠, ㉢, ㉤은 빨간색이고 ㉡, ㉣은 파란색이다. 처음 5대의 순위는 ㉠-㉡-㉢-㉣-㉤이고, (가)부터 (마)까지 변화가 차례로 일어났다. 각 단계별로 차량의 순위를 쓰시오. (단, 추월은 바로 앞에 달리고 있는 차 1대만을 할 수 있다.)

(가) ㉣이 ㉢을 추월했다.

(나) 파란색 차가 파란색 차 1대를 추월했다.

(다) 파란색 차가 빨간색 차 1대를 추월했다.

(라) 빨간색 차가 빨간색 차 1대를 추월했다.

(마) 빨간색 차 2대가 파란색 차 2대를 추월했다.

[답안 작성]

[모범답안]
- 처음 : ㉠ 빨간색 차 – ㉡ 파란색 차 – ㉢ 빨간색 차 – ㉣ 파란색 차 – ㉤ 빨간색 차
- (가) : ㉠ 빨간색 차 – ㉡ 파란색 차 – ㉣ 파란색 차 – ㉢ 빨간색 차 – ㉤ 빨간색 차
- (나) : ㉠ 빨간색 차 – ㉣ 파란색 차 – ㉡ 파란색 차 – ㉢ 빨간색 차 – ㉤ 빨간색 차
- (다) : ㉣ 파란색 차 – ㉠ 빨간색 차 – ㉡ 파란색 차 – ㉢ 빨간색 차 – ㉤ 빨간색 차
- (라) : ㉣ 파란색 차 – ㉠ 빨간색 차 – ㉡ 파란색 차 – ㉤ 빨간색 차 – ㉢ 빨간색 차
- (마) : ㉠ 빨간색 차 – ㉣ 파란색 차 – ㉤ 빨간색 차 – ㉡ 파란색 차 – ㉢ 빨간색 차

[해설] 추월은 바로 앞에 달리고 있는 차 1대만 할 수 있으므로 (가)부터 (라)까지 각 단계별로 추월이 가능한 차량을 찾아 5대의 차량 순위를 변경한다.

1. 우주인이 되어 달에서 생활해야 한다면 어떠한 기능을 갖춘 우주복을 입어야 할지 달의 환경을 고려하여 7가지 쓰시오.

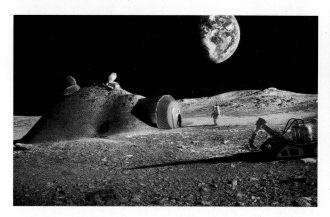 

[답안 작성]

[모범답안]
• 온도를 일정하게 유지해 주는 장치
• 산소를 공급하는 장치
• 기압을 일정하게 유지해 주는 장치
• 헬멧을 썼을 때 외부와 통신할 수 있는 장치
• 식수를 공급할 수 있는 장치
• 움직일 때 힘들지 않도록 관절 부분에 주름이 많은 우주복
• 쉽게 찢어지지 않는 소재로 만든 우주복

[해설] 달은 지구와 달리 대기압이 작용하지 않고 산소가 없으며 태양열에 의한 극고온과 극저온의 환경이 반복되는 공간이다. 또한, 빠른 속도로 날아다니는 우주먼지와 각종 전자파 및 방사능 등이 우주인을 위협하고 있다. 따라서 달에서 입는 우주복에는 우리 몸을 보호 할 수 있는 최첨단 장치가 있어야 한다.

2. 아래 사진에서 한 개의 식물을 골라 식물의 생김새나 특징을 쓰고 생활 속에서 그 식물의 특징을 이용하는 예를 쓰시오.

▲ 연잎

▲ 도깨비바늘 씨앗

▲ 단풍나무 씨앗

▲ 부레옥잠

[답안 작성]

[예시답안]
- 연잎 : 물방울이 맺히지 않고 동그랗게 뭉친다. 벽, 자동차, 운동화, 기능성 의류 표면에 연잎처럼 물이 맺히지 않고 흘러내리도록 하면 젖지 않고 항상 깨끗한 상태를 유지할 수 있다.
- 도깨비바늘 씨앗 : 씨 끝부분에 가시 같이 짧고 날카로운 바늘이 사방을 향해 벌어져 있어 옷이나 털에 박혀 잘 빠지지 않는다. 도깨비바늘 씨앗을 본 떠 낚싯바늘이나 작살을 만든다.
- 단풍나무 씨앗 : 씨앗 양쪽에 날개가 있어 바람에 잘 날린다. 단풍나무 씨앗의 날개를 본 떠 헬리콥터 프로펠러를 만든다.
- 부레옥잠 : 아랫부분에 공기 들어 있는 공기주머니가 있어 물에 잘 뜬다. 튜브나 부표 등이 공기주머니를 이용한다.

[해설] 자연에서 볼 수 있는 디자인적 요소들이나 생물체가 가진 다양한 특성이나 기능을 모방하여 이용하는 것을 생체모방공학이라고 한다. 현재의 생체모방공학은 생체구조를 모방하여 새로운 물질과 물체를 만들고, 새로운 공학 시스템을 디자인하는 데 많은 도움을 주고 있다. 생체모방공학이 학문으로 정리된 것은 최근이지만 그 역사는 매우 오래되었다. 원시시대에 사용했던 칼과 화살촉 등의 사냥 무기들은 짐승의 날카로운 발톱을 본떠 만들었다. 아주 옛날부터 다른 생물의 생활과 자연을 관찰하면서 필요에 맞는 지식을 얻어 적용함으로써 생체모방을 하고 있었다.

수학

1. 아래 그림과 같이 크기가 같은 정사각형 2개와 직각삼각형 2개가 있다. 이 도형들을 모두 이용하여 각 도형의 변끼리 붙여서 만들 수 있는 새로운 도형을 10개 그리시오. (단, 돌리거나 뒤집어서 모양이 같으면 같은 도형으로 인정한다.)

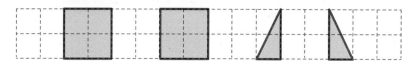

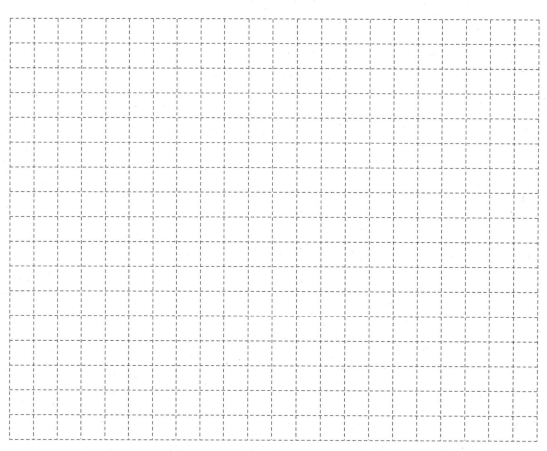

[예시답안]

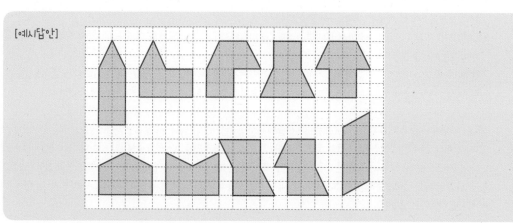

2. 다음과 같이 모퉁이에 사분원의 크기가 모두 같은 정사각형 모양의 타일이 30개 있다. 이 타일들을 배열하여 하나의 직사각형을 만들었을 때, 다음 〈조건 1〉~〈조건 2〉를 만족하는 모양을 완성하고, 타일의 배열 상태와 각 정사각형의 모퉁이에서 만들어지는 원의 개수가 왜 그렇게 나타나는지 이유를 쓰시오.

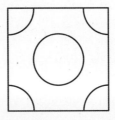

〈조건 1〉 타일을 배열하여 직사각형을 만들 때 남는 타일이 없어야 한다.

〈조건 2〉 배열 상태가 달라도 만들어지는 원의 개수가 같으면 같은 것으로 인정한다.

[답안 작성]

[모범답안]

배열 상태	2×15	3×10	5×6
원의 개수	14개	18개	20개

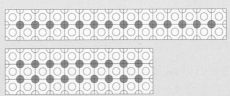

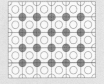

배열 상태에 따라 나타나는 원의 개수는 배열된 타일의 가로와 세로의 개수에서 각각 1을 뺀 것을 곱한 것과 같다. 4개의 타일이 모여야 모퉁이에서 1개의 원이 만들어지고, 여기에 가로 또는 세로로 2개의 타일이 더해지면 모퉁이에서 원이 1개씩 늘어나기 때문이다.

1. 다음은 국립공원 대피소 이용 안내에 대한 내용이다.

산악 대피소는 악천후를 만나거나 몸이 아파 산행을 진행하기 힘들 때 대피하는 장소이다.

- 대피소는 고산지대에 위치하여 물 공급이 원활하지 않고, 근처의 샘에서 나오는 지하수는 식수 공급과 자연 보호를 위해 세면, 양치질, 설거지 등을 제한한다.
- 쓰레기는 되가져가야 하므로 비닐봉지를 준비하고 쓰레기가 많이 발생하지 않는 음식물을 준비해야 한다.
- 여름철에는 우의나 우산을 준비하며, 겨울철에는 꼭 방한 장비를 준비해야 한다.
- 안전사고에 대비해 야간 조명등을 준비해야 한다.

안전을 담당하는 공학자로서 새로운 산악 대피소를 설계하려고 한다. 산악 대피소를 만들기 위한 설계 요건을 5가지 쓰시오.

[답안 작성]

[예시답안]
- 에너지 문제 해결 : 태양에너지를 이용한 발전기를 설치하여 야간에 조명을 켜고, 겨울철에 난방을 할 수 있도록 한다.
- 식수 문제 해결 : 빗물 정화 장치를 설치하여 빗물을 식수로 활용할 수 있도록 한다.
- 폐기물 문제 해결 : 음식물 쓰레기 등의 폐기물 처리를 위한 시설을 만들어 환경 오염을 막을 수 있도록 한다.
- 시설의 규모 문제 해결 : 바람, 눈 등의 악천후에 대한 시설의 안전성을 고려하여 그 규모를 정하도록 한다.
- 생태계 문제 해결 : 생태계에 영향을 덜 주기 위해 고산지대의 나무와 친환경 소재를 사용하도록 한다.
- 조난자 구조 문제 해결 : 조난자의 구조가 쉬울 수 있도록 접근이 가능한 장소에 설치하도록 한다.

[해설] 대피소는 비상시에 대피할 수 있도록 만들어 놓은 곳으로 취사 시설, 연료, 침상과 같은 편의시설이 없으며, 간단한 구조의 가막사 형태를 지닌 구조물이다. 북한산 대피소나 한라산의 진달래 대피소가 이런 형태의 구조물이라 할 수 있다. 대피소는 인적이 드물고 위험성이 높은 지형에 설치되어 비상시에 이용할 수 있도록 만들어야 하지만 몇몇 대피소는 이런 조건이 무시된 채 위치 선정이 잘못되어 대피처의 기능을 제대로 못 한다. 또한, 현재 우리나라 국립공원의 대피소들은 본래의 취지와는 달리 산장처럼 운영되는 곳이 많다.

2. 그림은 육식동물과 초식동물의 소화관을 나타낸 것이다. 육식동물과 초식동물의 소화관 전체 길이, 작은창자의 길이, 큰창자의 길이를 비교하고, 그 이유를 과학적으로 4가지 쓰시오.

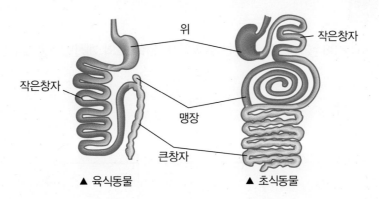

▲ 육식동물　　　　▲ 초식동물

[답안 작성]

[모범답안]
- 육식동물은 초식동물보다 작은창자가 길고, 큰창자는 짧고 반듯하다. 소화관 전체 길이는 짧다.
- 초식동물은 육식동물보다 큰창자가 길고 특히 맹장이 발달했다. 소화관 전체 길이는 육식동물보다 길다.
- 초식동물의 먹이인 풀은 소화가 잘 되지 않아 분해하는 데 오랜 시간이 걸리므로 소화기관 안에 음식물을 오래 두기 위해 소화관 전체 길이가 길다. 반면, 육식동물의 먹이인 고기는 쉽게 분해되기 때문에 소화관 전체 길이가 길지 않아도 된다.
- 육식동물은 고기를 부수지 않고 그대로 삼키므로 이를 분해하기 위해 상대적으로 작은창자가 큰창자보다 길다.
- 맹장에는 식물의 섬유질 소화를 도와주는 미생물이 살고 있으므로 초식동물의 경우 맹장이 매우 발달해 있고 길다.
- 고기는 오랜 시간 동안 소화기관에 머물면 체내에서 부패하기 쉽고 독소가 생산되어 간과 신장에 부담을 주기 때문에 소화가 덜 된 고기 찌꺼기 등을 신속하게 체외로 내보내야 하므로 육식동물의 큰창자는 짧다.
- 초식동물은 일반적으로 많은 양의 먹이를 먹기 때문에 이를 소화하기 위해 소화관이 육식동물보다 길다.

[해설] 육식동물의 경우 내장의 길이는 코끝부터 등뼈 끝까지의 길이의 3배 정도 되고, 초식동물의 내장은 몸길이의 12~20배 정도 된다. 초식동물은 물과 전해질, 비타민의 흡수와 함께 식물섬유를 발효하기 위해 큰창자가 발달했기 때문이다. 토끼 등의 일부 초식동물은 맹장이 소화관의 40%를 차지한다.

수학

1. 왼쪽 표는 734×38=27892를 계산한 결과이다. 왼쪽 표의 계산방법을 설명하고, 오른쪽 곱셈식을 완성하시오.

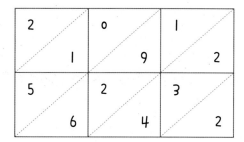

734 × 38 = 27892

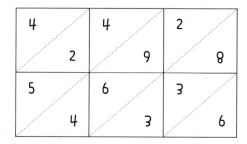

$\boxed{}$ × $\boxed{}$ = $\boxed{}$

[답안 작성]

[모범답안]

7, 3, 4, 3, 8을 순서대로 쓰고,
각 칸의 가로, 세로에 해당하는 수를 곱한 결과를 격자에 한 자리씩 쓴다.

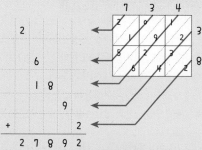

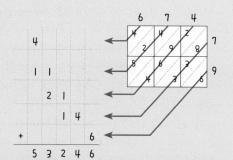

각 칸에 쓴 수를 화살표 방향으로 더한다.
더한값인 2, 6, 18, 9, 2는 각각 만의 자리, 천의 자리,
백의 자리, 십의 자리, 일의 자리가 된다. 자릿값에
맞게 수를 더하면 27892가 된다.

〈곱셈식〉 674 × 79 = 53246

[해설] 복잡한 곱셈식의 수를 격자에 차례대로 써서 쉽고 빠르
게 계산할 수 있는 방법을 격자 곱셈법이라고 한다.

2. 여섯 명의 사람이 서로의 정보를 공유하려고 한다. 두 사람이 통화할 때 상대방에게 자신의 정보와 앞서 통화한 다른 사람의 정보를 함께 전달한다고 할 때 여섯 명이 정보를 공유하려면 최소 5번 통화를 해야 한다. 이때 가능한 모형을 모두 그림으로 나타내시오. (단, 사람의 순서는 생각하지 않으며, 와 같이 닫혀있는 형태는 제외한다. 회전, 대칭하여 모양이 동일하면 같은 모형이다.)

[예시]

· ◯ : 사람, ◯—◯ : 두 사람이 서로의 정보를 교환

· 세 명이 최소 2번의 통화로 정보를 공유하는 경우의 모형 :

· 네 명이 최소 4번의 통화로 정보를 공유하는 모형 :

[주의] 회전, 대칭하여 동일하면 같은 모형이다.

또한 는 같은 모형이다.

[답안 작성]

[모범답안]

1. 다음은 영희 일기의 일부이다. 물음에 답하시오.

시골에서 할머니가 잎이 달린 당근을 보내주셨다.
할머니의 정성이 들어 있어서 오랫동안 신선하게 보관해서 먹고
싶은데... 어떤 방법이 있을까?

당근을 오랫동안 신선하게 보관하는 방법을 네 가지를 쓰고, 과학적인 원리를 쓰시오.

[답안 작성]

[모범답안]
• 냉장고에 보관한다. : 곰팡이가 자라지 못하도록 온도를 낮추어 썩지 않게 한다.
• 잎을 제거한다. : 뿌리에 저장된 양분이 잎으로 이동하므로 잎을 제거하여 뿌리가 시들거나 썩지 않게 한다.
• 비닐 등으로 감싼다. : 수분이 날아가 마르지 않도록 한다.
• 과일과 함께 보관하지 않는다. : 사과나 바나나에서 나오는 에틸렌 가스가 식물의 노화를 촉진하기 때문이다.

[해설] 당근이나 무와 같은 뿌리채소는 흙이 묻은 상태로 살짝 흙만 턴 후 뿌리를 절단하지 않고 보관하는 것이 좋다. 채소는 수분이 증발하면 금방 시들기 때문에 신문지나 키친 타올에 물을 살짝 적셔 채소를 감싸 팩에 넣은 후 온도가 낮은 냉장고에 두면 보름 정도 보관이 가능하다.

2. 영재는 등산로가 잘 정비되지 않은 산으로 등산을 갔다가 길을 잃었다. 당황했지만 마음을 진정 시키고 자신의 상황을 곰곰이 생각해 보았다.

> • 주위를 둘러보니 인기척이 느껴지지 않았다.
>
> • 휴대전화 배터리가 모두 방전되어 휴대전화를 사용할 수 없었다.
>
> • 손목에 바늘 손목시계를 착용하고 있었다.

영재가 이런 상황에서 산의 남쪽에 형성된 마을을 찾아가는 방법을 5가지 쓰시오.

[답안 작성]

[모범답안]
• 밤이라면 북극성이나 북두칠성이 있는 방향이 북쪽이다.
• 낮이라면 그림자의 위치 변화를 관찰한다. 그림자는 북쪽을 향하며 그림자는 서쪽에서 동쪽으로 이동한다.
• 낮이고 바늘 손목시계가 있다면 바늘로 방향을 찾는다. 시침이 태양을 향하게 하면 시침과 시계의 12시 방향이 이루는 각을 이등분 하는 선이 남쪽을 가리킨다. (나뭇가지를 바닥에 수직으로 꽂고 시침이 그림자가 시작되는 부분을 향하도록 시침과 그림자를 일치시 킨다. 이때 시침과 시계의 12시 방향이 이루는 각을 이등분하는 선이 남쪽이다.)
• 잘린 나무가 있다면 나무의 나이테를 관찰한다. 일조량이 적으면 나무의 성장이 느리므로 나이테의 간격이 좁은 방향이 북쪽이고, 넓은 방향이 남쪽이다.
• 나뭇가지나 나뭇잎은 일조량이 많은 곳에 많으므로 가지가 많이 뻗어 있거나 잎이 상대적으로 많이 달린 쪽이 남쪽이다.
• 이끼는 그늘지고 습한 곳에 서식하므로 이끼가 많이 있는 쪽이 해가 잘 들지 않는 북쪽이다.
• 봄이라면 북쪽 산 사면에는 진달래가, 남쪽 산 사면에는 철쭉이 주로 서식한다.

[해설] 산 인근 민가는 겨울철에 일조량이 많고, 산바람을 막아 보온성을 높이기 위해 남향으로 집을 짓는다. 따라서 민가의 창문이 향 하는 곳이 남쪽이다.

공통

1. 쉬는 시간, 교실에서 친구들과 어울리지 못하는 친구를 도울 수 있는 방법을 이야기하시오.

[답안 작성]

[해설] 인성 면접 문제이다. 영재원에서는 대부분 팀으로 탐구하므로 갈등 해소 능력, 겉도는 친구를 포용하는 마음, 다른 사람의 감정을 공감하는 능력 등을 확인하는 질문이 많이 나온다. 미리 적절한 답안을 생각해 보는 것이 좋다.

2. 돌을 운반하여 돈을 버는 아프리카 아이들을 도와줄 수 있는 방법을 이야기하시오.

[답안 작성]

[예시답안]
• 여러 구호단체의 모금 활동, 기부, 후원을 통해 돕는다.
• 아프리카 어린이를 위해 편지를 쓴다.
• 아프리카의 상황을 주변 사람들에게 알린다.

[해설] 어른이 되어서 돈을 벌어서 도와주겠다는 생각보다 지금 내가 할 수 있는 작은 도움을 생각해보는 것이 좋다.

3. 조별 과제를 진행하는데 한 친구가 참여하지 않고 있다면 어떻게 할 것인지 이야기하시오.

[답안 작성]

[해설] 인성 면접의 경우에 영재원에서는 대부분 팀으로 탐구하므로 갈등 해소 능력, 겉도는 친구를 포용하는 마음, 다른 사람의 감정을 공감하는 능력 등을 확인하는 질문이 많다. 평상시 다른 사람을 배려하는 훈련, 나와 다른 점을 수용하는 마음 등을 길러 왔다면 충분히 답할 수 있다.

4. 실험실에서 우리 조만 다른 조와 다른 결과가 나왔다면 어떻게 할 것인지 이야기하시오.

[답안 작성]

[해설] 실험 결과는 가설에 맞게 변인 통제를 잘해야 옳은 결과를 얻을 수 있다. 우리 조만 다른 조와 다른 결과가 나왔다면 가설에 맞게 변인 통제가 잘 되었는지 확인해야 한다. 만약 변인 통제를 잘못하여 다른 조와 실험 결과가 다를 때는 다시 실험을 할 수 있는 시간과 여건이 된다면 변인 통제를 제대로 해서 실험을 하고, 다시 실험을 할 수 있는 시간과 여건이 되지 않는다면 변인 통제에서 실수한 부분으로 인한 실험 결과에 대한 실험 보고서를 작성한다.

5. 다음 글을 읽고 질문에 답하시오.

> 민수네 학급은 미술 시간에 협동화 그리기를 했습니다. 그러나 민수는 자기가 맡은 그림에 색칠도 안 하고 놀기만 했습니다. 끝날 시간이 되자 모둠 아이들은 마음이 급한 나머지 민수의 그림까지 함께 색칠해서 냈습니다. 선생님은 민수네 모둠의 협동화가 가장 멋있다고 칭찬을 해 주시며 모둠원 전체에게 스티커를 한 장씩 주셨습니다. 모둠원들은 민수가 협동화 그리기는 하지 않고 장난만 치고 스티커를 받았다는 사실을 선생님께 말씀드려야 할지 고민했습니다.

모둠원들이 민수의 행동을 선생님께 말씀드려야 할지 말지에 대한 자신의 입장을 정하여 이야기하시오.

[답안 작성]

[해설] 모둠 활동에서 자주 발생할 수 있는 상황이다. 모둠 활동에서 주로 1명이 주도적으로 하고 1~2명이 참여를 하지 않는 경우가 발생하기도 한다. 협동화나 조별 과제 등을 해결할 때 참여하지 않는 친구가 생기면 대부분 한두 번 이야기 하고 그래도 참여하지 않으면 선생님께 말씀 드린다. 그러나 이번 상황은 민수에게 색칠하라고 이야기하는 사람도 없었고, 선생님께 말씀드리지도 않은 상황에서 민수를 빼고 협동화를 마무리했다. 모둠원들이 민수의 행동을 선생님께 말씀드린다면 모둠원들이 민수와 협동하려고 노력하지 않는 부분에서 모둠원들에게 준 스티커를 모두 회수할 수 있다. 또한, 선생님께 민수의 행동을 말씀드린다고 해서 민수가 다음부터 협동할 확률은 알 수 없다. 가장 중요한 핵심은 민수가 왜 협동하지 않았는지에 대해 모둠원들이 고민 없이 민수를 무시한 부분이다. 따라서 선생님께 말씀드리는 부분보다는 민수와 협동하기 위해 어떻게 해야 하는 것이 좋을지에 대한 해결 방안을 이야기하는 것이 좋다.

6. 다음 글을 읽고 질문에 답하시오.

> 어느 초등학교에서 '꼴찌 없는 운동회'가 열려 많은 사람의 관심을 모았습니다.
> 이 학교에는 선천적으로 장애가 있는 학생이 있는데 운동회 달리기 때마다 항상 꼴찌로 들어왔습니다. 하지만 이날만큼은 먼저 달려가던 5명의 친구가 장애 친구에게 다가가 손을 잡고, 함께 결승선을 통과하여 1등 도장을 받았습니다. 이것은 미리 계획된 것으로 항상 꼴찌를 한 이 학생에게 선생님과 친구들이 준 초등학교에서의 마지막 운동회 선물이었습니다.

위 초등학교 학생들의 행동에서 본받을 점을 2가지 이야기하시오.

[답안 작성]

[해설] 장애가 있는 학생을 배려한 친구들의 깜짝 선물은 많은 사람에게 감동을 줬다. 많은 학생은 '나도 장애가 있는 친구를 배려하겠다.', '우리 주변에 도움이 필요한 친구가 있으면 도와주겠다.'와 같은 생각을 하고 이야기를 할 수 있다. 그러나 이런 이야기는 진정성이 없는 답변이라고 할 수 있다. 누구나 알고 있는 내용이지만 실천하는 사람은 많지 않다. 따라서 현재 내 주변에 있는 친구 중 도움이 필요한 친구가 있으면 글에 나온 친구들처럼 구체적으로 어떻게 도움을 줄지 아이디어와 함께 답변하는 것이 좋다. 꼭 신체적인 장애가 있는 친구가 아니더라도 정신적 장애가 있는 친구, 전학 온 학생이라서 도움을 필요한 친구 등이 있으니 예를 들어 이야기하면 좋을 것이다. 또한 면접관은 합격시켜 함께 수업하고 싶은 학생에게 좋은 점수를 준다는 것을 꼭 기억하고 예상 답변을 생각하는 것이 좋다.

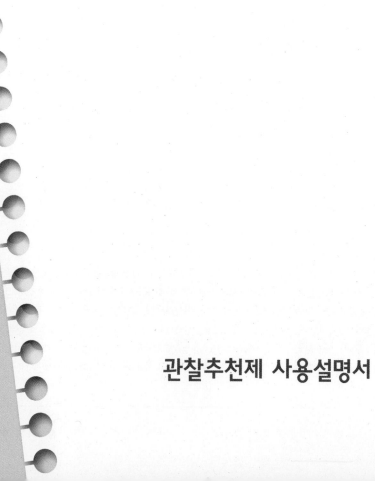

관찰추천제 사용설명서

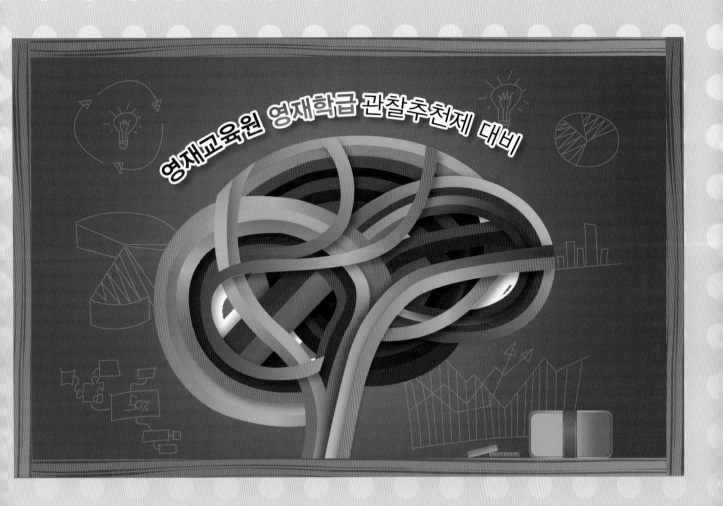

영재교육원 영재학급 관찰추천제 대비

안쌤의
「창의적 문제 해결력」 수학 과학 공통

모의고사

① 모의고사[4회]

- 최근 시행된 전국 관찰추천제 **기출 완벽 분석 및 반영**
- 서울권 창의적 문제해결력 **평가 대비**
- 영재성검사, 학문적성검사, **창의적 문제해결력 검사 대비**

② 평가 가이드 및 부록

- 영역별 점수에 따른 **학습 방향 제시와 차별화된 평가 가이드 수록**
- 창의적 문제해결력 평가와 면접 기출유형 및 예시답안이 포함된 **관찰추천제 사용설명서 수록**

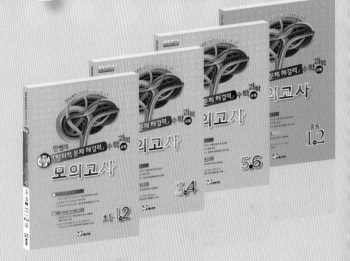

안쌤의 「창의적 문제 해결력」

모의고사 14 문항 구성

전국 영재교육 대상자 선발
관찰추천제 유형에 따른 맞춤형 문항 구성!!

문항 구성		창의적 문제해결력 평가	영재성검사	학문적성검사	창의적 문제해결력 검사	창의 탐구력 검사
수학	사고력 4문항	●	●	●	●	
	창의성 2문항	●	●		●	●
	STEAM 1문항	●	●	●	●	●
과학	사고력 4문항	●	●	●	●	
	창의성 2문항	●	●		●	●
	STEAM 1문항	●	●	●	●	●

안쌤의
창의적 문제해결력 시리즈

초등 1~2 학년

초등 3~4 학년

초등 5~6 학년

중등 1~2 학년

안쌤의 줄기과학 시리즈

새 교육과정
3~4학년
학기별
STEAM 과학

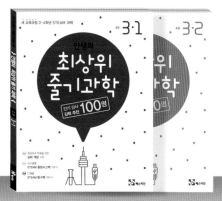 

3-1 **8강** 3-2 **8강**   4-1 **8강** 4-2 **8강**

새 교육과정
5~6학년
학기별
STEAM 과학

5-1 **8강** 5-2 **8강**   6-1 **8강** 6-2 **8강**

새 교육과정
중등 영역별
STEAM 과학

물리학 **24강**   화학 **16강**   생명과학 **16강**   지구과학 **16강**   물리학 워크북   화학 워크북